Ernesto

Grote 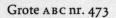 nr. 473

Marijke Höweler

Ernesto

Amsterdam · Uitgeverij De Arbeiderspers

Eerste druk, mei 1984
Tweede druk, mei 1984
Derde druk, juni 1984
Vierde druk, juli 1984

Copyright © 1984, Marijke Höweler, Amsterdam

Omslag: Ans Markus
Omslagontwerp: Nico Richter
Foto achterplat: Chris van Houts
Druk: Tulp, Zwolle

ISBN 90 295 2116 3

Inhoud

1 *Salve Regina*

Het was een herfstdag die speciaal bedoeld leek om pasgeboren muizen, slakken of paddestoelen en andere klamme en kleffe gewassen een plezier te doen. Geen mensenweer in elk geval. Want mensen zouden de milde temperatuur als weldadig en de vochtige wind als verfrissend opvatten en zich zonder jas op weg begeven.

Maar Leo was bijna vierenvijftig jaar en wist beter. Hij hield zijn burberry aan. Hij had er geen behoefte aan om plotseling door spit of andere reumatische aandoeningen geconfronteerd te worden met de afkalving van zijn bestaan. En zo zou hij diezelfde middag nog een zware verkoudheid oplopen door overmatig transpirerend op de warme en tochtige begraafplaats te staan.

Zijn moeder was dit nare dilemma gelukkig bespaard gebleven want de kist die nu geluidloos en zonder overmatig schokken ten grave gereden werd was niet alleen tochtvrij, de satijnen binnenwand ervan zorgde bovendien voor voldoende isolatie om moeder koel te houden gedurende haar korte rijtoer van de kapel tot aan de kuil waarin zij straks plechtig zou worden neergelaten. De begrafenisondernemer had haar destijds nog gewezen op de emotionele belasting die zo een afdaling voor de nabestaanden kon betekenen, maar moeder had zijn kanttekeningen bij de door haar geregisseerde plechtigheid van de hand gewezen als zijnde malligheid.

Er werd opvallend weinig gehuild, dat moet gezegd worden. Vandaar dat de enige die door moeders verscheiden blijkbaar bijzonder ontroerd werd op de volle aandacht van de overige aanwezigen mocht rekenen.

Toch had Wiesje ruim zesenvijftig jaar van haar moeders aanwezigheid mogen genieten. Maar zij leek er nog lang niet genoeg van te hebben. Leo, die zijn zuster stevig bij de arm had gehouden gedurende hun korte wandeltocht, maakte nu de greep wat losser. Ofschoon hij zich realiseerde dat Wiesje zijn aandacht enigszins van de droevige gebeurtenis afleidde had hij toch de manier waarop zij haar bijdrage aan zijn gemoedsrust leverde graag anders gezien. Wiesje snotterde de doden uit hun graven en haar snikken klonk als een vreemde vogelroep over het goed verzorgde dahliaperk waaraan het familiegraf grensde.

Daar, aan de voet van moeders kuil, zag Leo zijn eigen plekje en huiverend hoopte hij dat zijn hoekje aan moeders voeten voortijdig mocht worden ingenomen; desnoods door een van Wiesjes eigen kinderen. Ofschoon hij wist dat hij er in de komende weken bijzonder door gehinderd zou worden dat moeder de voorkeur aan het Onze Vader had gegeven, omdat de kennis daarvan zo interfereerde met het Wees Gegroet waaraan hijzelf de voorkeur gaf, was hij toch blij dat men dit gebed uitsprak, vanwege de kortere duur. Wiesje kreeg het schepje als eerste en kwakte met afgewend hoofd een flinke mep aarde op de kist ter hoogte van moeders gezich. Leo vervloekte haar in stilte voor deze onachtzaamheid en hij zorgde ervoor dat zijn symbolische gebaar van 'zand erover' mooi bezijden de kist terecht kwam. Hulpeloos keek Leo om zich heen of er nu werkelijk niemand anders was bij wie hij zich aan zou kunnen sluiten dan bij zijn onhandige zuster. Maar omdat het nu juist de directe familieband was die de aanleiding vormde tot hun samenkomst op deze herfstmiddag, schoot niemand hem te hulp. Rosa, zijn vrouw, en Ernest, zijn zoon, hadden zich op de tweede rij opgesteld en leken niet van zins zich op te dringen. Leo zag zich daarom genoodzaakt om zijn zuster weer zijn arm aan te bieden en als aanvoerder van een merkwaardige optocht, Wiesjes kakelbonte kinderen, grijze ouden van dagen en enige bejaardenverzorgsters, de terugtocht te aanvaarden.

Op naar de koffie, op naar de cake, tweeëntachtig jaar en het was welletjes geweest. Zo dachten meneer en mevrouw Sanders en zo dacht ook mevrouw De Bruin erover. En na een korte bezinning, 'hoe oud was zijn moeder nou even zo goed', schoven ze aan in de condoleance-rij.

'Kijk eens aan, Willem Sanders, heb jij ook mee kunnen komen, mijn Jan had ook mee zullen gaan, maar ja hij heeft z'n werk hè,' zo opende mevrouw De Bruin.

'Ik was liever gaan vissen,' zei Sanders eenvoudig.

'Wie niet,' zei mevrouw De Bruin. 'Hij was liever gaan vissen zegt ie,' herhaalde ze met een knipoog naar mevrouw Sanders, 'hij kan tegenwoordig zeker zelf z'n fles wel klaarmaken hè?'

Mevrouw Sanders had echter andere zorgen: 'Wat zeg je nou ook alweer tegen zo'n man,' fluisterde ze dringend. Haar beurt tot condoleren kwam akelig dichtbij. 'Ik kan er in ene niet opkomen.'

'Ach, zeg maar wat, daar gaat het toch niet om,' vond haar vriendin.

'Er is toch een woord voor,' hield mevrouw Sanders aan, 'dat kan toch niet voor niets wezen.'

Ook mevrouw De Bruin stond nu even stil om te piekeren. 'Al sla je me dood, ik zou het niet weten.'

'Nee, het gaat míj erom wat je dan zèggen moet,' giechelde mevrouw Sanders. 'Jij weet het ook niet hè?' vroeg ze haar man tenslotte.

'Oh jawel,' zei deze hooghartig.

'Nou zèg dan wat,' zei zijn vrouw zenuwachtig, 'treiter nou niet zo.'

'Ze luistert nooit naar mij en nou zal ze ineens iets van me aan willen nemen,' buitte deze de situatie uit. 'Nee daar begin ik niet aan,' en hij grinnikte naar mevrouw De Bruin.

'Kom op meid,' vond deze solidair, 'laat je niet kisten, wij redden ons eigen wel.'

'Ik vind het heel erg van uw moeder,' zei mevrouw Sanders en Leo drukte zijn werkster de hand en meende dat zij de enige was die middag die werkelijk van zijn moeder had gehouden.

'Gecondoleerd,' zei Sanders en keek naar de grond.

'Hartelijk gecondoleerd,' zo sprak mevrouw De Bruin de voormalige werkgever van haar man toe, snel van opnemen als ze was.

En Leo vroeg zich af wie of mevrouw De Bruin in vredesnaam kon zijn.

'Gehuild dat ze heeft, is het niet Willem, heb jij gezien hoe of dat vrouwtje huilde,' zo riep mevrouw Sanders haar man 's avonds als ooggetuige op. Tamelijk overbodig overigens want mevrouw De Bruin was er zelf bij geweest.

'Ja, dat leek de Nieuwe Meer wel,' gaf hij toe.

'Ik geloof nooit dat onze Linda zo voor mij zou huilen,' vreesde mevrouw Sanders.

'Voor mij anders ook niet,' zei meneer Sanders.

'Nee, logisch,' vond zijn vrouw.

'Wat zo, logisch?' Meneer Sanders was geblesseerd.

''t Is míjn dochter, toe nou,' veegde mevrouw Sanders het toneel voor zichzelf schoon.

'De mìjne ook als ik mijn eigen niet heel erg vergis,' vond haar man en keek schuin naar mevrouw De Bruin.

'Ik vind dat toch zo'n lekker stuk om te zien,' droomde deze.

'De professor,' zei mevrouw Sanders begrijpend. 'Ja, wat een man hè en altijd even aardig en beleefd tegen mij.'

'Dat is nou een man, daar zou ik graag voor werken,' zei mevrouw De Bruin.

'Dat gaat mooi niet door, de professor is van mij,' zei mevrouw Sanders, 'dat moet jij goed onthouden.'

' 'k Geloof dat ik eens opstap,' vond haar man.

'Ik loop met je mee,' zei mevrouw De Bruin, 'Jan zal zó wel van z'n werk komen.'

'Ja, dan kan je beter thuis zijn, voor je 't weet maken ze rechtsomkeert tegenwoordig,' vond mevrouw Sanders, terwijl ze haar jas van de kapstok haalde.

'Moet dat nou?' vroeg meneer Sanders.

'Wat dacht je,' vond zijn vrouw, 'dat ik jullie alleen liet gaan, je bent zo maar beroofd hoor en in mekaar geslagen en ik heb net een begrafenis achter de rug, ik moet geen tweede. Ik zou niet weten wat of ik tegen mijn eigen zeggen moest,' giechelde ze en kneep haar vriendin gezellig in haar arm.

'Gecondoleerd.'

'Gecondoleerd,' herhaalde ze, 'ja dat is het woord. Wat is die man knap, hè.'

'Ik kijk tòch even of hij er niet zit,' zei mevrouw De Bruin. ' 't Kan altijd zijn dat ze vroeger opgehouden zijn met overwerken.'

'Daar had je dan wel eerder aan mogen denken,' zei Sanders snibbig en gedrieën stapten ze de kroeg binnen waar De Bruin nota bene voor de tap zat.

'Ik voelde gewoon dat jij hier zat,' zei mevrouw De Bruin.

'Wat jij al niet voelt,' zei De Bruin en hij duwde net iets te hard met zijn vork op de gehaktbal die hij, van de nood een deugd makend, voor zichzelf besteld had, zodat deze met een mooie boog tegen de spiegel achter de tap vloog. Met open mond keek hij hem na.

'Mijn balletje,' zei hij beteuterd en dat was lachen geblazen. Ze kwamen er haast niet van bij en De Bruin zat zich met een rooie kop te schamen en probeerde een rustig praatje met Sanders aan te knopen. Maar het wilde allemaal niet zo vanavond want Sanders wist alles van vissen en niets van voetballen en De Bruin wist alles van voetballen en niets van vissen dus dan zit je. Nee, wat De Bruin betreft hadden ze

11

allemaal weg kunnen blijven, een man die werkt heeft recht op rust en warm eten. Hij zou het op de bouw morgen niet eens durven vertellen wat Truus haar eigen wel allemaal durfde te permitteren. Geen ontzag, geen niks had ze. Tegenwoordig was je net goed om je geld naar ze toe te brengen. Een Turk kon het bedrag tenminste nog naar zijn eigen inzichten besteden.

'Die Turken moesten opsodemieteren,' vond De Bruin en gelukkig was dát een onderwerp waar meneer Sanders ook een mening over had vanavond zodat het toch nog een beetje genoeglijk werd. Hoewel De Bruin opnieuw de pest in kreeg toen zijn Truus en hij naar bed moesten omdat het morgen vroeg dag zou zijn, terwijl die pleurislijder van een steuntrekker van een Sanders nog te belazerd was om voor tienen 's morgens z'n hengel uit te gooien. Nee, De Bruin zou rechts stemmen dit jaar zodat die typhuslijder mooi z'n vakantiegeld kwijt zou raken en Truus was het daar op weg naar huis van harte mee eens: 'Ze kreeg zowat een beroerte toen ik zei dat ik wel voor die professor van haar wilde werken, terwijl ze weet dat ik m'n handen al vol heb. Volgens mij heeft ze wat met hem, een verbeelding dat hou je niet voor mogelijk.'

'Morgen,' zei Jan, 'dan wil ik dat het eten op tafel staat.'

'Hoe kan ik nou weten hoe laat jij thuiskomt?'

'Jij voelt toch alles zo goed aan?'

'Dat is zo.'

'Nou dan,' zei De Bruin, 'dan voel je toch ook dat ik thuis kom.'

'Dat is nou gek,' vond Truus, 'daar voel ik niks van.'

'Wil,' zei Hugo, 'ik wilde morgen een beetje later komen, zou dat lastig zijn?'

'Welnee,' vond Wil, 'U werkt toch al veel te hard.'

Wil vermocht altijd een geweldige tolerantie op te brengen als het om haar baas ging. Dit in flagrante tegenstelling tot de dressuur waaraan zij de mooie typiste onderwierp.

'Moet u weg?' vroeg Wil.

'Nee,' zei Hugo schuchter, 'nee, eigenlijk niet. Ik heb het een en ander te doen.'

'Toch wèl iets gezelligs hoop ik?'

En Hugo weifelde of hij haar nu wel vertellen moest dat het er eigenlijk om ging dat hij vanavond zijn ijskast wilde laten ontdooien om hem morgen te kunnen schoonmaken en dat hij van plan was om een knoopje aan zijn overhemd te zetten en om zijn koperen kandelaar eens rustig op te poetsen en bovendien, daar ging het eigenlijk om, wilde hij erwtensoep maken zoals zijn moeder het vroeger deed. Dat laatste zou hij in geen geval loslaten want Wil zou zonder twijfel zeggen: 'Dat zal ìk eens voor u doen, dan komt u gezellig bij mij eten.'

'Ik wilde de ijskast schoonmaken,' zei Hugo.

'U, dat moet u toch niet zelf doen, wat is dàt nou dat is toch zonde van uw vrije ochtend, dat moet u toch aan de werkster overlaten, zulk soort dingen.'

En hier stokte de conversatie. Hugo was buitengewoon dankbaar dat zijn Wil het zo voor hem opnam. Hij was het overigens helemaal met haar eens dat al deze werkzaamheden (behalve de erwtensoep dan) niet door hem maar voor hem gedaan behoorden te worden. Het enige probleem was dat Hugo geen werkster had. Zo zat Hugo voortdurend in het dilemma dat hij bang was dat Wil een beetje op hem neer zou gaan kijken als hij dat toegaf. Anderzijds kon hij haar dus niet voluit verhalen van alle handenarbeid die hij in zijn eenpersoons huishouding verrichtte. Wil zou dat zo een schande vinden dat zij aan de volgende subsidieaanvraag ten behoeve van het voortbestaan van de Stichting tot beslechting van geschillen voor de bouwbedrijven in Nederland een voetnoot voor de minister toe zou voegen over dit onderwerp. Of, en dat leek Hugo nòg erger, zij zou de telefoon nemen en de voorzitter van de Stichting opbellen om hem voor eens en voor altijd duidelijk te maken dat hij Hugo, die toch zo'n toegewijd man was, uitbuitte en misbruik maakte van diens onberispelijke karakter en bescheiden aard. Daarom was het dat Hugo slechts een fractie van de belevenissen die hij haar eigenlijk wilde vertellen durfde meedelen. Daarom was het ook dat Wil een veel avontuurlijker voorstelling had van Hugo's vrijgezellenbestaan dan de werkelijkheid voor Hugo in petto had.

'Toch moet u de werkster extra laten komen voor dat soort dingen,' hield Wil koppig vol.

'Welke?' vroeg Hugo verstrooid.

'Al die dingen zoals de kasten,' vond Wil. 'Mag ik eens wat vragen, u hoeft er natuurlijk geen antwoord op te geven, maar soms denk ik wel eens...'

'Wàt?' vroeg Hugo nieuwsgierig en een beetje huiverig.

'Is uw alimentatie eigenlijk niet veel te hoog?'

Uit deze hoek had Hugo de wind niet verwacht. Ofschoon hij hier voor zichzelf altijd heel openhartig in was had hij zich bij zijn weten nooit in het openbaar beklaagd over de ferme prijs die Wiesje voor zijn vrijheid berekend had.

'Geen sprake van,' zei Hugo.

'Weet u dat nu zeker,' drong Wil aan. 'U kunt zich immers zo weinig vrije tijd permitteren als u dat soort dingen er ook nog bij hebt.'

'Ik kom niets te kort,' zei Hugo dapper. Het deed hem toch goed dat Wil nog steeds dacht dat hij een werkster had.

'Uw ex anders ook niet,' wist Wil.

'Hoe dat zo?' vroeg Hugo nieuwsgierig.

'Ik woon er recht tegenover dus ik zie alles,' zei Wil nonchalant terwijl ze deed alsof ze verder wilde typen.

Hugo haalde de wenkbrauwen op.

'In een auto zag ik haar, met een aardige bontjas aan.'

'Je vergist je vast, Wiesje? Onzin, tjonge jonge ik zou willen dat je gelijk had maar dat kan toch echt niet.'

'Dan niet,' zei Wil, zette haar IBM aan en typte verder.

Toch had ze Hugo meer dan nieuwsgierig gemaakt en stiekem loerde hij tussen de varen en de laurier door naar haar plaatsje, maar Wil typte dapper door. En daarom begon Hugo toen maar weer aan zijn erwtensoep te denken terwijl hij zuchtend een hinderlijke telfout uit een vonnis haalde.

Nauwelijks in zijn flat gearriveerd die avond, hing Hugo z'n colbertje op de stoel, deed zijn pantoffels aan en knoopte zich die aardige schort met 'Barbecue Chef' erop voor. Hij stroopte de mouwen op, schonk zich een pilsje in en ging 'tjonge jonge' de spulletjes uit het plastic tasje op het aanrecht uitstallen. De varkenspootjes, die hij bij de slager al nauwelijks onder ogen had durven zien, liet hij nog even ingepakt. Eerst maakte hij een aardig rijtje van het slagerspakketje, de selderijknol, de spliterwten, de prei, de losse selderij en de winterwortel, van groot naar klein. Hij ging het eens even allemaal rustig bestuderen vanuit zijn Ikea keukenstoel aan zijn Ikea keukentafel: leuk gezicht, straks ging hij lekker spelen. Eerst maar eens lezen hoe of het allemaal moest. De bladzijde van Wannée lag nog opengeslagen. Lekker fris keukentje had hij toch en morgen mocht hij uitslapen van Wil. Oh ja de ijskast herinnerde hij zich nu. Dat deurtje houd ik dicht, dan maar wat langzamer ontdooien, dat staat zo slordig zo'n open deur, vond Hugo.

Dat was nu het aardige van erwtensoep, de erwten behoefden niet... néé mòchten zelfs niet geweekt worden van mevrouw Wannée. Zie je wel, de volgorde van zijn rijtje was fout, het moest niet van groot naar klein, het moest van langzaam naar vlug gaar. En met het boek in de ene hand legde hij met de andere hand de spliterwten op de plaats van het slagerszakje. Nee, wat zag hij nou, ja dan moest het zakje in vredesnaam maar open want het bot moest met de erwten mee, de pootjes kwamen vóór de winterwortel, de lapjes achter de wortel en vóór de losse selderij en de prei en dan op het àller, àllerlaatst het rookworstje. Handje zout, wat was nu toch een handje zout? Een snufje zout was ongeveer drie keer met duim en wijsvinger de zoutpot in en vliegensvlug loslaten boven de pan. Handje zout was méér! Twee snufjes misschien en dus zes greepjes? Hij liet een theelepeltje vol op z'n handpalm glijden, dat was het wel zo ongeveer. Hugo had klamme handen van de opwinding gekregen en daarom stond hij nu boven die stevige pan op zo'n vreemde manier z'n handen tegen elkaar te slaan, net zoals hij dat vroeger wel had gedaan als ze fanfare speelden en hij bij het ontbreken van pannedeksels zich met zijn kleine handjes had moeten behelpen om de bekkens te imiteren.

Er werd gebeld, dat kwam nu toch wel verbazend slecht uit. Visite was het laatste waar Hugo op gerekend had. Ook wat de drankvoorraad betreft kon Hugo het eigenlijk helemaal niet hebben. Toch kwam het niet in hem op om niet open te doen. Hij deed zijn schort uit en zag gelukkig nog kans om de pan met erwten, het handje zout en water op z'n sudderpitje te zetten. Daarop sukkelde hij naar de deuropener.

'Ik ben het,' zei Wil en Hugo deed open en ging verbaasd voor zijn deur staan kijken, benieuwd als hij was om te weten wie of hij nu toch open zou hebben gedaan.

'Zal ik je eens wat vertellen,' zei Leo die avond tegen zijn vrouw, 'ik voel me opgelucht. Dat is toch vreemd, ik vind dat vreemd, m'n eigen moeder,' en hij keek Rosa verbaasd aan.

Deze legde de krant neer: 'Ik niet.'

'Ik moet wel een ellendeling zijn, dat kan niet anders,' vond Leo.

'Valt wel mee,' zei Rosa troostend en ze glimlachte hem vriendelijk toe.

'Ik ben bang van niet lieverd.'

'Anders ìk wel,' zei Roos, 'ik heb altijd op haar gescholden en nou heb ik spijt, 't had beter omgekeerd kunnen zijn, dat was in elk geval aardiger voor haar geweest.'

'En voor mij,' zei Leo.

'En voor jou,' gaf Rosa toe.

'Jou heb ik ook geplaagd.'

'Ja dat is zo,' zei Roos.

'Waarom deed ik dat toch? Waarom moest ik toch zo nodig? Ik leek wel een kinderverkrachter. Dat waren het toch Roos, kinderen? Een spoor van scherven liet ik na – Killroy was here.'

'Je moet niet overdrijven,' vond Rosa, 'zo erg was 't nu ook weer niet. Ze wilden maar al te graag.'

'Maar tòch,' vond Leo.

'Wat?' vroeg Roos.

'Ik zal toch niet volwassen zijn geworden?'

'Prijs de dag niet voor de avond,' waarschuwde Roos.

Leo knielde voor zijn Rosa op de bank en legde z'n hoofd in haar schoot.

'Ik ben lang niet zo bang meer voor je als vroeger.'

'Waar was je dan bang voor?' vroeg Rosa verwonderd.

'Dat je de baas over me zou worden.'

Rosa streelde zijn haar: 'Ik de baas over jou?'

'Ja,' fluisterde Leo, 'een vreemde.'

'Misschien was je wel trouw.'

Daar keek Leo van op: 'Trouw?'

'Aan moeder, je kende haar tenslotte heel wat langer dan mij.'

'Ik kon niet kiezen,' gaf Leo toe.

'Moest dat dan?'

'Ja,' zei Leo, 'dat moest. Maar ik heb het toch gedaan, op het nippertje Rosa, of niet? Als ze nou eerder dood was gegaan, Roos, dan had ik nooit voor je kunnen kiezen.'

En voor de zoveelste maal was Rosa dankbaar dat haar gebeden zo traag verhoord waren en Leo's moeder een leven beschoren was geweest dat iets langer van duur was dan wanneer Rosa op haar wenken bediend zou zijn geweest.

'Lieverd, ik ben zo blij met je,' zei ze.

Leo wilde Rosa net uit gaan leggen hoe wederzijds dat was of daar ging de telefoon.

'Laat maar bellen,' vond Leo.

'Wie weet is het iets ernstigs,' zei Rosa.

'Moeder kan 't niet zijn,' dacht Leo.

'Erwtensoep,' hoorde hij Rosa vermoeid zeggen, 'en nu is hij te dun? Een nachtje laten staan dat komt vanzelf in orde,' en ze knipoogde haar Leo toe.

Dat was nou jammer vond Hugo, waarom was Rosa nu zo kortaf tegen hem? Roos wist toch wel dat Hugo iets belangrijks te vertellen had als hij haar 's avonds om twaalf uur opbelde.

Hugo zat verbouwereerd naar zijn telefoontoestel te kijken. Daarna stond hij op en roerde eens in de pan, de kleur was goed, dat wel.

'Rotsoep,' zei Hugo tegen zijn soep en gooide met een smak de lepel in de pan terug. Toen dacht Hugo weer aan Wil en ging er even bij aan zijn keukentafel zitten. Zou het waar zijn? Zou het werkelijk waar zijn wat ze hem was komen vertellen? Hugo roffelde met zijn beide vuisten aan weerszijden van de telefoon.

'Hiep hoi,' zei Hugo en het kon hem niets schelen of de onderburen hem zouden horen. Rosa moest eens weten wat voor nieuwtje ze gemist had. 'Hiep hoi!' Hugo was vrij. Wiesje ging trouwen! Hugo roerde nog eens in z'n soep. Hij draaide er twee achtjes in. En hij kon waarachtig al een beetje een spoor achterlaten met zijn houten lepeltje.

'Hiep hoi.' Hugo was nooit zo erg gevarieerd geweest in zijn vreugdekreten. Hij had Wil een pakkerd gegeven uit dankbaarheid terwijl hij principieel tegen handtastelijkheden was ten opzichte van kantoor. Maar als iemand het verdiend had vanavond dan was het Wil geweest. Zou hij toch Rosa nog even bellen? Zeggen dat hij waarachtig niet zo achterlijk was dat hij haar voor zijn erwtensoep zou storen? Nerveus draaide hij het nummer en wachtte.

'De Zeeuw,' zei Leo.

'Met mij,' zei Hugo.

' 't Is half één,' zei Leo, 'is dat niet laat voor soep?'

'Nee, daar gaat het niet om Leo,' zei Hugo stotterend, 'ik wilde jullie wat anders zeggen.'

'Ga je gang.'

'Ik ben uit de zorgen,' zei Hugo met een zucht.

'Goed zo kerel.'

'Mag ik Roos even?' Hugo dacht dat hij ze hoorde giechelen en toen hij Rosa's stem hoorde wist hij het zeker.

'Wat is er Hugo?'

'Wiesje gaat hertrouwen,' zei Hugo plechtig.

'Hertrouwen?' en Hugo merkte dat ze de boodschap even doorgaf.

'Leo zegt dat hij het niet gelooft,' meldde Rosa. 'We hebben haar vandaag nog gezien.'

'Jullie zagen elkaar toch nooit meer,' sputterde Hugo.

'Moeder is begraven vandaag.'

Nu was het Hugo's beurt om verwonderd te zijn: 'Ik wist van niets.'

'Wat zeg je?' vroeg Roos, 'ik kon je niet verstaan want Leo niesde.'

4 *Ad te suspiramus*

Vroeg in de morgen blies de wind mevrouw Sanders over de Berlagebrug en bij het Mirandabad was ze al klaar wakker.

Willem had haar fiets gesmeerd. Hij had hem helemaal uit elkaar gehaald op de overloop en niet zoals hij zich had voorgesteld in de woonkamer voor de gashaard. Mevrouw Sanders had nooit gedacht dat Willem hem weer in elkaar zou kunnen krijgen. Ze had ook niet gemerkt hoe laat hij in bed was gekomen. Terwijl Willem op zijn beurt weer niet gemerkt had dat Tiny er om half zeven uit verdwenen was. En niet zoals anders om zeven uur want het had immers best kunnen zijn dat Willem die fiets niet in elkaar gekregen zou hebben.

Zwarte wolken joegen boven de tramkabels en af en toe stuurde de tram knetterend een blauw-witte lichtflits de zwarte hemel in. Net oorlog, dacht mevrouw Sanders. En ook daarom was het zaak om voor de bui in Buitenveldert te zijn. Die regen moest zo zwart als roet zijn vond ze en keek nog 'ns naar boven, allemaal milieuvervuiling. De wolken moesten gesopt, dat was duidelijk. Maar Tiny Sanders niet gezien dacht Tiny, werklozen zat.

In Buitenveldert stonden de zaken er inmiddels wat minder wakker voor. Rosa zat zich op de rand van het bed in de ogen te wrijven en toen Rosa met één oog klaar was trok ze Leo aan de mouw van zijn pyjamajasje en zei: 'Je moet opstaan want mevrouw Sanders komt.'

Leo draaide zich met zijn rug naar haar toe en mompelde dat het allemaal tirannen waren, alle ochtendmensen. En Rosa vond ook dat er eigenlijk geen plaats voor hen was op aarde.

'Midden in de nacht,' zei Rosa, 'moet ik de vaat staan doen omdat de werkster komt.'

'Ze heeft de sleutel,' zei Leo.

'Dan begint ze bij ons voeteneind en dan kunnen we er in geen uur uit,' zei Rosa, maar dat vond Leo niet zo'n bezwaar. En daarom begon Rosa maar een beetje te donderen met het grote licht en de radio en toen stond Leo ook op want het werd kil in bed zonder Rosa.

Net stonden ze beiden hun tanden te poetsen zoals het moet van de sterreclame toen ze Tiny binnen hoorden komen. Zij leek met haar voeten op de mat te staan stampen. Daarna ging het ganglicht aan en even later hoorden ze haar de gordijnen openschuiven met een kabaal alsof ze de rolluiken ophaalde.

'Nu komen de asbakken,' zei Rosa benauwd en jawel een ogenblik later werden ze kletterend uitgeslagen op de rand van de plastic vuilnisbak om vervolgens in de roestvrij stalen gootsteenbak gesmeten te worden.

'Zie je wel dat ze niet hier begint,' zei Leo nadat hij de tandpasta had weggespoeld.

'Ik begin maar vast in de keuken zolang u niet op bent,' riep Tiny.

'Wij komen,' riep Rosa angstig terug.

'Ik red mijn eigen wel.'

'Ik doe het net zo lief zèlf,' vond Rosa, 'nou moet ik alweer de stad in.'

'Waarom?' Leo probeerde net een wat grijzende krul tegen z'n slaap te plakken.

'Anders moet ik helpen,' zei Roos. 'Zou je 't erg vinden als ik haar opzei?'

'Ze is hier al zo lang '

'Maar ik heb toch niets te doen.'

'Ik zet vast thee,' riep Tiny tegen de badkamerdeur.

'Graag als je dat doen wilt,' riep Rosa. 'De thee staat...'

'Ik red mijn eigen wel,' stelde Tiny haar gerust.

'Mijn schoenen staan onder de bank,' herinnerde Leo zich nu.

'Ik haal ze wel zodra ik mijn vest gevonden heb,' zei Roos hulpvaardig.

'Dat hangt op de keukenstoel,' wist Leo.

'Zo bent u daar,' zei Tiny terwijl Rosa onder de bank lag te zoeken. 'Ik heb vast ingeschonken.'

'Waarom staat die deur open?' vroeg Rosa en keek rillend de nacht in.

'Rook,' zei Tiny, 'dat merk je niet als je erin zit maar als je van buiten komt is 't niet te harden. Op de keukenstoel lag nog een vest van u dat heb ik even op de kapstok gehangen.'

'Dank je wel,' zei Roos.

'Er gaat niets boven thee 's morgens,' zo leidde Tiny de conversatie terwijl ze bevend aan de keukentafel zaten. 'Hebt u al ontbijt gehad?'

'Ik laat wel wat halen,' zei Leo.

'Vroeger ontbeet u altijd hier.'

'Kom ik stap 'ns op,' vond Leo en keek uitnodigend naar Roos.

En zo zaten ze die morgen klokke kwart over acht in de enige snackbar die Buitenveldert rijk was.

' 't Is hier tenminste warm,' zei Roos, 'de halve wereld is al op zie je dat?'

'Zou jij vandaag mij willen zijn,' vroeg Leo, 'ik moet naar het hooglerarenoverleg.'

'Toch is het vreemd,' mijmerde Roos, 'vroeger zagen jullie elkaar nooit.'

'Ik moet een idee hebben,' zei Leo, 'en ik heb geen idee.'

'Wat naar nou,' vond Rosa, 'waarover?' Ze doopte de croisant in de koffie.

'Niet in je koffie Roos,' zei Leo uit gewoonte.

'Ook niet onder deze omstandigheden?' vroeg Rosa.

'Nee, want dan...'

'Wordt de koffie zo rommelig,' zei Roos. 'Over de onderzoeksvoorstellen,' vroeg ze toen.

Leo knikte.

'Prioriteiten?' vroeg Roos, 'maar dat hebben jullie toch al gedaan?'

' 't Moet wéér,' zei Leo somber. 'Van Zutphen heeft ze allemaal teruggehaald.'

' 't Is niet waar.'

'Allemaal,' zei Leo, 'uit de bureaula van de minister.'

'Hoe kan dàt nou, waarom heeft ie dat gedaan, je was net zo blij dat jullie erin lagen.'

'Hij had de zijne bewaard voor de tweede tranche.'

'Heet dat tranche?' vroeg Rosa.

'Ja,' knikte Leo, 'dat heet zo en nou komt er geen tweede tranche want de eerste tranche was te vol.'

'Wat vreselijk,' zei Roos meewarig, 'en jullie stonden...?'

'Nummer tien, de laagste ja.'

'En nou komt Van Zutphen ertussen en dan...?'

'Vallen we af,' zei Leo, 'doe dat nou niet in die koffie.'

'Oh nee,' zei Roos, 'da's waar ook.'

'Ik geloof dat ik verkouden ben,' zei Leo, 'wat 'n ellende. Zullen we dan maar,' en hij pakte zijn portemonnaie.

'Kun je niet in bed kruipen vandaag,' vroeg Rosa.

'Mevrouw Sanders,' herinnerde Leo haar.

Ze namen hartelijk afscheid. Leo voelde nog warm van de slaap dacht Roos, of zou het koorts zijn? Leo startte zijn Volvo voor de honderd meter die hem van zijn leerstoel scheidden. Op zijn afdeling was het nog aardedonker.

5 Filii Hevae

'Madonna,' zei Ernest tegen zichzelf terwijl hij de douche uitstapte. Men scheen hier niet alleen het land zelf gemaakt te hebben maar ook het weer leek door mensenhand vervaardigd te zijn en hij keek met afgrijzen naar de hemel van de Blasiusstraat. Zijn blik werd daarbij enigszins gehinderd door de duiventil die meneer De Bruin op zijn balkon in aanbouw had en die hij om zich wat hobbyruimte te scheppen aan de balkonrand had bevestigd.

Ernest zette de kachels voor en achter op twee en begon zich zorgvuldig aan te kleden. Van boven klonk James Last en de bassen deden Ernest's blinkende glaswerk in de keukenkast rammelen. Zoals iedere morgen zette hij het raam open en sloeg zijn lakens en deken uit. Daarna maakte hij zijn bed weer zorgvuldig op en rolde de deken samen met het bovenlaken op tot aan het voeteneind. Hij schikte de bos herfstasters op zijn witte bureau opnieuw nadat hij er een uit had gehaald die hem wat geknakt voorkwam. Vervolgens ging Ernest thee zetten. En gezeten aan zijn keukenbar overzag hij zijn blauw katoenen vloerbedekking die zich van voor tot achter in de wat langwerpige kamer uitstrekte, slechts onderbroken door twee witleren stoelen op stalen frame, zijn bureau, zijn witte bed en de vleugel. Hier had zijn moeder gewoond toen ze studeerde. Hier woonde hij. Keurig gerangschikt stonden zijn boeken in de kast. Boven wis- en natuurkunde, onder filosofie. Daarnaast, in de tweede kast: twee planken Italiaans, twee planken Engels, een plank Nederlands en op de onderste stonden zijn grammofoonplaten.

Ernest had vrij vanmorgen en hij wist wat hem te doen stond. Hij waste zijn theekopje af en zette vervolgens drie paar schoenen op het blinkende roestvrij stalen aanrecht, daarna nam hij de schoensmeerdoos uit het aanrechtkastje en zette zich aan het werk.

Boven haalde mevrouw De Bruin James Last van de stereo, nam haar boodschappentas van het haakje, zette de kachel op half en wrong zich tussen de koelkast en de wasmachine om bij de lege Fantaflessen te komen.

'Godkolere,' zei Truus tegen zichzelf, 'het wordt iedere dag nauwer hier.' Daarna liep ze de trap af.

'Goeiemorgen,' zei Truus terwijl ze haar hoofd om de hoek van zijn keukendeur stak. 'U kunt rustig piano spelen als u wilt want ik ben even naar de markt en daarna ga ik naar m'n vriendin.'

'Dank u wel,' zei Ernest.

'Kan ik iets voor u meenemen?'

'Dank u wel,' zei Ernest.

'Ik ga ook nog even langs die slager weet u wel?'

'Nee dank u wel,' zei Ernest.

'Dan niet,' zei Truus en deed de deur dicht, 'even goeie vrienden.'

Net wilde Ernest zijn schoenen in de kast gaan zetten of hij moest zijn gebaar onderbreken voor de telefoon. Deze handgreep scheen niet ongestoord te mogen verlopen want ook de zoemer van de voordeur vroeg zijn aandacht.

'Een ogenblikje,' vroeg Ernest aan de telefoonvreemdeling en liep naar de deurtelefoon en drukte zonder verdere informatieverwerving op de knop.

'Oh, oom Hugo. Vanavond, nee! U hebt een kaartje over? Wat is het programma? Nou, ja graag, om acht uur voor 't Concertgebouw? Ja, ja.'

En daar stond Roos en Ernest gebaarde haar te gaan zitten.

Dankbaar deed Rosa haar jas uit en vroeg zich af waar

de kapstok ook alweer was. Ernest legde de hoorn neer en haastte zich Rosa te helpen.

'Dag lieverd,' zei Roos, 'zou ik alsjeblieft een kopje koffie van je mogen?'

'Natuurlijk,' vond Ernest en na korte tijd produceerde Ernest's espressoapparaat de bekende rokershoest en zaten ze beiden aan weerszijden van de keukenbar.

'Oom Hugo nodigde me uit voor het Concertgebouw,' zei Ernest stralend.

God wat lijkt die jongen op z'n vader dacht Rosa en raakte er bijna door in verwarring. 'Wat leuk,' zei ze en keek naar Leo's jonge handen terwijl Ernest een schepje suiker op de schuimende melk liet vallen. De suiker bleef even liggen en werd toen ineens verzwolgen terwijl de melklaag zich sloot alsof er niets gebeurd was. Dat deed Roos eigenaardig genoeg aan Hugo denken.

'Sommige mensen,' zei Roos, 'zijn nèt zo.'

Dat begreep Ernest niet helemaal.

'Er gebeurt iets, moet je zien,' en ze deed nog een schepje suiker op het beige laagje, 'en je denkt: nou daar zal hij wel door ondersteboven raken maar néé, hàp, zie je, niets gebeurd.'

'Wie zou er in de war moeten zijn?' vroeg Ernest.

'Hugo bijvoorbeeld,' zei Roos, 'daarom kwam ik erop.'

'Ik geloof niet dat ik trouw,' zei Ernest peinzend.

'Nee daar valt wat voor te zeggen,' gaf Roos toe, 'hoewel, als je de slag eenmaal te pakken hebt.'

'Gaat het goed met papa en jou?' vroeg Ernest.

'Je hebt hier weinig hout om 't af te kloppen,' zei Roos en lachte stralend. Dat deed Ernest blijkbaar plezier. 'Zeg 'ns,' vroeg Roos, 'wat had je voor je twee laatste?'

'Laatste wat?'

'Tentamens.'

'Negens,' zei Ernest beschroomd.

'Lieve hemel,' vond Rosa, 'dat wordt cum laude.'

Ernest keek haar vragend aan. 'En wat dan nog als er geen werk is?'

'Je vindt wel wat.'

'Vind jíj 't erg dat je je baan kwijt bent?' vroeg Ernest toen maar.

'Ja,' zei Roos en voelde een onaangename rilling over haar rug lopen. 'Maar ik amuseer me wel: ik schrijf wat. Zul je het tegen niemand zeggen?'

'Niet voor je werk?' vroeg Ernest verwonderd.

'Nee, voor de lol,' zei Roos, 'ik moet toch wat.'

'Mag ik 't lezen?'

'Als 't klaar is,' beloofde ze.

'Hoe vindt papa het?'

'Niet altijd even leuk,' bekende Roos.

'Komt hij er in voor?'

'Meer zeg ik niet,' zei Roos geheimzinnig.

'Zou je eens een liedje voor mij willen maken?' vroeg Ernest opeens. Het viel niet mee om helemaal van onderwerp te veranderen.

'Doe jij dan de muziek?'

Ernest knikte.

'Waarover?' vroeg Roos.

' 't Moet droevig zijn.'

'Hè nee,' vond Roos.

'Hè toe,' zei Ernest.

'Over de liefde?'

'Nee over Europa of zo?'

'Ja dat moet wel droevig worden,' gaf Rosa toe.

Bij Hugo op kantoor zat de stemming er heel wat minder in. Wil leek opeens boos op hem, zómaar tijdens de koffie was het begonnen. En Hugo begreep maar niet wat er nu toch gebeurd kon zijn. Ze zou toch wel begrijpen dat hij de gebeurtenissen van de vorige avond niet en plein public kon memoreren? Hugo liet de conversatie van zojuist nog eens de revue passeren terwijl hij zorgvuldig oplette dat hij de pagina's van het vonnis over de verzakte fundering van het regionaal studiecentrum op gezette tijden omsloeg. Waar hadden ze het tijdens de koffie over gehad? Hij wist het weer: het Concertgebouw en of Wil twee kaartjes wilde bestellen. Nou èn, zou je dat niet meer mogen vragen aan je secretaresse, dacht Hugo. En hij besloot dat hij het recht aan zijn zijde had en maakte zich op om het vonnis eens helemaal door te gaan nemen. Tjonge jonge het had haast ook nog zag Hugo en ze waren al aan de eerste etage bezig en Hugo bekeek de tekening nog eens nauwkeurig en zag in gedachten hoe opwaaiende papieren zich in de ludieke nissen van dat prachtige regionale studiecentrum zouden vastzetten. En ook wat níet op het zij-aanzicht van de tekening stond zag Hugo voor zich. Hoe die vrolijk ingetekende poppetjes straks allemaal honden bij zich zouden hebben die zij hun behoefte zouden laten doen tegen die fantastisch leuke lantarenpalen en in de nissen met die verrassende doorkijkjes en onder de boompjes naast de bankjes waar zeker niemand op zou gaan zitten zoals de kunstenaar dat gedacht had omdat Hugo de tocht al om z'n oren voelde. Alleen al van die tekeningen kreeg Hugo het koud.

Maar vanavond was het feest! Vanavond ging hij met z'n geleerde neef op stap en op een of andere manier kreeg Hugo zo'n warm en hartelijk gevoel over zich als hij dat in geen jaren gekend had. Hugo was vrij, hiep hoi dacht Hugo. Wil had Wiesje's vriend vanmorgen weer uit Wiesje's huis zien komen. Toch gek dacht Hugo dat Wil opeens zo omsloeg tijdens de koffie. Enfin, misschien was ze wel ongesteld geworden onder de koffie. Kon toch?

'Werk zàt,' zei De Bruin.

'Waar dan als ik vragen mag?' vroeg Sanders timide.

'Voor als je de bekwaamheden hebt is er overal werk waar ook ter wereld,' meende De Bruin en bestelde een pilsje. 'Truus moet jij nog een bessen?'

'Mij best,' zei Truus. 'Geef Tiny er ook een als je wilt goudlijster van me.'

'Ik lust er ook nog wel een,' zei Sanders. Maar meneer De Bruin was even bezig.

'Bij mij op het werk,' zei De Bruin voornaam, 'mag niet gedronken worden, anders krijgen we ongelukken.'

'Je meent het,' vroeg Sanders en hield z'n lege glas een beetje op om er de aandacht nog eens op te vestigen. Maar De Bruin vond het beter om 't even zo te laten.

'Bij mij op 't werk wordt ook niet gedronken,' zei Tiny, 'anders komen er ook ongelukken,' en ze gaf Truus een duw vanwege het onderlinge begrip.

'Daar kan ik inkomen,' zei Truus hartelijk, 'ik zou mijn eigen ook niet vertrouwen in jouw situatie.'

En zo kwam De Bruin er even buiten te staan en kreeg Sanders zijn pilsje. Ze klonken.

'Trouwens,' zei Truus, 'die zoon van 'm mag er ook zijn als ik het zeggen mag.'

'Die bij jou onder?'

Truus knikte.

'Ik val nou een keer niet op jong,' zei Tiny en likte haar lippen erbij af. ' 't Is niet te hopen dat hij net zo hitsig is als zijn vader eertijds.'

'Oh nee, die kleine is veel en veel serieuzer,' wist Truus.

'Toch is 't een schande,' zei Tiny, 'kom ik vanmorgen op

mijn werk liggen die twee nog in bed te dweilen, acht uur was het en een róók in de woonkamer, om te snijden. Dus ik gooi meteen de tuindeur open, kanker wil ik van mijn eigen en niet van een ander wat jij. Komt zíj binnen en vraagt waarom ik die deur openzet. Ze had het koud. Ik zeg... ik zeg tegen haar beter even koud rechtop dan héél lang liggend.'

'Kon je dat nou wel zeggen,' vroeg Truus.

'Waarom niet?'

'Met die moeder koud onder de grond?'

'Die vrouw die heeft geen hart, die voelt daar niks van, nee.'

'Dat werk van jou, als ik vragen mag,' zei Sanders tegen De Bruin. De Bruin was een en al oor. 'Daar gaan de eigen-aardigste verhalen over.'

'Dat heb je altijd als je goed werk hebt,' zei De Bruin. 'kinnesinne.'

'Maar toch...' hield Sanders vol.

'Zie je die ballen,' zei De Bruin en wees op de doos met kerstversiering die naast de kassa stond. 'Daar hou ik van, ik hou van kerst dat geeft mij een gevoel van...'

'Uitgevroren te zijn,' zei Truus.

De vrouwen giechelden, maar Sanders durfde het niet helemaal aan om met ze mee te doen.

'Jan,' zei Sanders.

'Zeg het eens tegen me Willem,' zegt De Bruin en boog een beetje naar hem toe.

'Zijn er wel eens zieken of heeft er wel eens iemand een ongeluk, of zo, op het werk?'

'Ongelukken, nee,' peinsde De Bruin, 'want alles is er zwaar beveiligd, maar zieken ja, zeker met dit weer.'

'Zou je niet 'ns aan mij willen denken.'

'Jawel,' zei De Bruin, 'ik denk heel dikwijls aan jou.'

'Ook als er zieken zijn!' vroeg Sanders ongelovig.

'Juist dàn, dan moet ik altijd speciaal aan jou denken.'

'Willem,' riep Tiny verveeld, 'hij neemt je in de maling.'

Maar Willem wist van geen ophouden: 'Zou jij niet eens mijn naam kunnen laten vallen.'

'Hoe dat zo?'

'Als er zieken zijn,' hield Willem vol en wuifde Tiny's goede zorgen geïrriteerd weg.

'Kijk Willem,' zei De Bruin, 'de mensen zíjn wel ziek, want lichamelijk zijn de mensen nog ongeveer even vatbaar als vroeger, maar ze blijven er niet voor thuis. Nee jij bent niet op de hoogte. Dat lag in jouw tijd eventjes anders zeker?'

'Ja,' knikte Willem.

'Er loopt er bij mij een rond met longontsteking,' vervolgde De Bruin, 'en je merkt niet dàt aan hem.'

'Echt niet?' vroeg Willem vol bewondering.

'Zeg Jan,' zei Truus, 'moeten wij eigenlijk niet 'ns opstappen?'

'Waar gaan we heen meid,' vroeg De Bruin luchtig terwijl hij een beetje achteruit op z'n kruk schuifelde om z'n kruis wat meer ruimte te geven.

'Wat zou je denken, naar de place Pigalle misschien,' vroeg Truus.

'Ik blijf hier,' zei De Bruin, 'ik heb daar niets te zoeken, ik zit goed. Moet jij nog niet naar bed?' vroeg hij Sanders. Deze keek naar de grond. 'Als je te laat bent dan bijten ze niet.'

'Het visseizoen is gesloten,' zei Sanders somber.

'Hebben ze ze vergeten in het water te gooien van staatswege?'

'Nou is het wel genoeg geweest Jan,' vond Truus, 'reken even af wil je.'

'Een rondje van mij,' zei De Bruin en Truus kon niet anders dan zich weer op de kruk hijsen terwijl ze verveeld met haar sjaaltje speelde dat ze aan het hengsel van haar handtas had geknoopt zodat het net leek alsof dat tasje wou gaan vliegen.

'Mannen,' zei Truus, 'zou je ze niet?'

'Net kinderen,' vond Tiny en daar klonken ze samen op.

Het was jammer dat er zoveel mensen waren die hun voeten niet veegden voor ze die mooie hal van het Concertgebouw binnen kwamen want de marmeren vloer begon meer en meer op die van het station te lijken. De meesten hadden er niet zo'n last van want er werd nogal veel in de lucht gekeken vanavond.

'Concerto colore,' noemde Ernest het altijd voor zichzelf. Bovendien, maar dat zag Ernest niet, leek het net alsof de kaartverkopers een voorkeur hadden gehad voor kleine oude vrouwen die donkerogig vanuit hun rolstoelen controleerden of iedereen er wel was. En misschien omdat ze bang waren dat ze zelf over het hoofd zouden worden gezien hadden ze aardig wat gouden belletjes en balletjes om en aan gedaan. En soms ook gouden kiezen en randjes om hun tanden. Zodat het een lieve lust was om naar zo'n arressleetje te kijken. Ook al, het zou niet eerlijk zijn om dat te verzwijgen, ook al omdat de palfrenier die zo een fleurig karretje duwde altijd sprekend op het rozewangig hoopje dat hij voortduwde leek. Zelfde ogen, zelfde neus, alleen twee keer zo groot en reuze handig met het wagentje.

Af en toe draaide zo'n feestelijk kerstpakketje haar snuitje om en keek omhoog naar haar eigen duwreus die dan z'n gezicht naar beneden boog en z'n oor voor het gouden gaatje legde waar het geluid vandaan kwam. Bijna altijd kwam er iets grappigs uit, dat kon je wel merken want meestal moesten de reuzen erom lachen of glimlachen òf ze waren het er gewoon mee eens. Dan knikten zij bijvoorbeeld van ja-ja terwijl ze zich weer uitklapten.

Afgezien van deze vrolijke duo'tjes was er nog heel wat meer te bekijken. Zo had je nog aardig wat mensen die op één been wipten en in plaats van het andere twee leuke zilverkleurige stokken gekocht hadden. Het waren er nu niet zoveel als bijvoorbeeld in januari en in februari want dat zijn nu eenmaal meer de wipmaanden.

Minder opvallend maar toch ook leuk waren de schuifmensen. Zij hadden niet zulke èrg glinsterende stokken en bovendien maar één per persoon maar wèl weer dikwijls met een gouden handvat en zo paste zo'n beschaafde houten stok dan aardig bij hun eigen camelkleurige jas èn bovendien bij de jassen van alle andere mensen zodat ze een soort verbinding gaven tussen al die muziekliefhebbers. En gelukkig was er nòg iets waardoor ze ook als ze hun jassen uitdeden toch allemaal bij elkaar bleven horen. Want dan kwamen er, door de warmte bij de vestiaire in de hal (ook al zo handig dat het net lekker warm was als ze hun jas uit moesten) door de warmte bij de vestiaire dus kwamen er heerlijke geuren van ze af. En al die heerlijke geuren samen werden dan al gauw één grote heerlijke geur. En dan waren ze nog niet eens binnen! Het is waarachtig geen wonder dat muziek wel de hoogste van alle kunsten is als er violen bij zijn. En er waren gelukkig heel veel violen vanavond. Wat er óók was, dat vond Ernest niet zo erg leuk maar Hugo des te meer, zodat die twee elkaar gelukkig net in evenwicht hielden, dat was een Koor, dat zag je aan de banken die er straks door in beslag genomen zouden worden. Alle plaatsen aan weerszijden van dat prachtige orgel, waar anders gewone mensen zitten, waren nu voor het koor. En dat was heel prettig geregeld zo want dan konden de mensen in de zaal niet afgeleid worden door de gewone mensen naast het orgel die vaak zo in die prachtige muziek opgingen dat ze vergaten dat hun japonnen stiekem omhoog gekropen waren zodat men in hun zijden directoirtjes zat te kijken. Onder normale omstandigheden is dat misschien niet zo'n bezwaar maar het ging hier om iets heel belangrijks, dat kon je wel merken aan het fluisteren wat ze deden. Iemand van het platteland zou misschien gedacht hebben dat het kindje Jezus op het podium lag te slapen zo stilletjes deed iedereen. En het waren er waarachtig de mensen niet naar om zich overdag ook zo te gedragen. In tegendeel zelfs ze hadden geweldig harde stemmen als ze wakker waren, dat was juist het leuke van ze. Ze konden heel hard maar ze deden het niet. Ze wisten ook heel veel te vertellen en dat deden ze ook al niet. Als men zo oneerbiedig durfde zijn zou men overdag zelfs kunnen denken dat zij zichzelf en elkaar aanmoedigden: 'Eén, twee drie: open die bek en lullen maar,' maar dat zou vanavond niet in je hoofd opkomen natuurlijk.

De dirigent was kaal. Op zich hoeft dat geen probleem te zijn bij klassieke muziek. Maar nu was het vervelende dat het licht zo was opgehangen dat er hier en daar schaduw viel op de deukjes in dat knappe achterhoofd van die geniale man en dat die deukjes samen net twee oogjes, een neusje en een mond leken zodat de dirigent Ernest aardig aan het schrikken bracht als hij zich omdraaide om te buigen en hij opeens merkte dat de dirigent eigenlijk twee gezichtjes had.

En toen gingen ze dan zingen, wel driehonderd monden, allemaal tegelijk: 'Alle Menschen werden Brüder.' En het klonk zó krachtig, zó sterk en overweldigend dat Ernest meende dat zij Duitse soldaten voorstelden op weg naar Moskou. Maar Hugo begreep het gelukkig veel beter en kreeg er tranen van ontroering van in de ogen. Net als de dames in de duwkarretjes en hun reuzen zonen trouwens en daar begreep Ernest helemáál niets van want hij dacht altijd dat de joodse mensen daar nou juist zo van geleden hadden. Maar gelukkig heeft Hugo hem later bij de koffie alles even uitgelegd. En toen wilde Hugo een abonnement voor hun tweeën kopen maar Ernest was jammer genoeg te bescheiden om dat van oom Hugo aan te nemen.

'Wat denk je, moeten we Hugo niet vragen of hij meegaat met Kerstmis?' had Rosa 's middags nog vanuit de keuken geroepen. Maar Leo was net de tuindeur uitgelopen om zijn rozenstruik te inspecteren en daarom was het voorstel enigszins in de lucht blijven hangen. Want toen Leo zijn minitu·n uitkwam wilde Rosa graag weten wat voor weer het was buiten en om dat te weten te komen moest Leo weer even zijn tuintje in en zodoende.

Nergens lijkt gebrek aan communicatie zo onmiddellijk gestraft te worden als in het huwelijk dacht Rosa plechtig toen Hugo die avond tjonge jonge uitlegde dat hij waarachtig wel eens de deur uit wilde met Kerst maar niet bedenken kon waarheen. Rosa durfde het toch niet aan om hem uit te nodigen, zo zonder enig overleg. Niettemin bracht Rosa's handicap ongewild een zekere diepgang in het gesprek want Rosa vroeg of Hugo's kinderen misschien bij hem langs kwamen. Zodat Hugo kon gaan uitleggen waarom dat er ook dit jaar jammer genoeg niet inzat. Wiesje wilde nog steeds niet dat de kinderen zouden worden blootgesteld aan de omgang met een monster als Hugo. En om onverklaarbare redenen waren zijn kinderen het met hun moeder eens.

'Het is net of het je niets doet,' zei Rosa weifelend.

'Ik vind het heel erg,' zei Hugo, 'maar wat schiet ik er mee op om te gaan zitten janken?'

'Je zou er van alles aan kunnen doen als je wilde,' vond Rosa.

'Dat zou niet goed voor de kinderen zijn,' meende Hugo, 'ze moeten tot rust komen.'

'Zo lang?' vroeg Roos.

'Ja de tijd vliegt,' zei Hugo peinzend en toen schoot hem

gelukkig nog iets in gedachten. Hoe kon het nu toch bestaan dat hij het vergeten was: Wiesje's aanstaande echtgenoot. Die stond nu toch immers levensgroot tussen Hugo en zijn kinderen in. Die Rosa kon de dingen altijd zo stellen dat Hugo de meest voor de hand liggende argumenten niet meer te binnen wilden schieten.

'Weet je,' zei Hugo, 'het is veel beter als ze eerst eens rustig aan hun nieuwe vader wennen, je moet kinderen niet met zoveel dingen tegelijk confronteren dat is niet goed voor ze.' En hij keek Rosa en Leo daarbij belerend aan. Maar Leo was inmiddels iets anders opgevallen gelukkig. Leo wilde weten wat er nu toch waar was van dat verhaal van Wiesje's nieuwe man.

Dat trof Hugo nu onaangenaam. Dat het Leo helemaal ontgaan was hoe een ommekeer zich had voorgedaan in Hugo's bestaan. Goed, Leo interesseerde zich niet zo voor materiële zaken maar had Leo dan werkelijk niet opgemerkt dat Hugo zich een Mitsubitshi Turbo Lancia had aangeschaft? En dat Hugo een abonnement voor Leo's eigen zoon had willen bestellen? Had Ernest dat dan niet verteld? En dat hij Rosa gevraagd had of zij misschien een werkster voor hem wist voor een hele dag in de week? En was het Leo dan tenslotte ook niet opgevallen dat Hugo een verbazend duur cadeautje voor ze had meegebracht vanavond, Elsevier's nieuwe plantengids: heesters en wilde bloemen in de Eifel? Hugo was verbijsterd. Hoe die man ooit hoogleraar had kunnen worden was hem een raadsel. Enfin, wat wist Leo ook van alimentaties af? Laat staan dat Leo wist hoe mager en kleurloos het bestaan werd door die maandelijkse aderlating.

'Weet je zeker dat ze gaan trouwen?'

'Hij komt nota bene 's morgens om zeven uur haar huis uit,' zei Hugo verontwaardigd. 'Dan zal hij toch waarachtig geen suiker komen lenen iedere nacht?' Hugo werd werkelijk een beetje kwaad op Rosa.

'Ja maar hij kan toch best alleen maar af en toe eens...' hield Rosa vol en keek wat hulpeloos naar Leo.

'Voor de kinderen zul je in elk geval moeten blijven betalen,' hielp Leo.

Geïnteresseerd zaten ze nu beiden op Hugo's antwoord te wachten. Het duurde even maar daar kwam hij dan toch: 'Ach,' zei Hugo, 'dàt zijn de kosten niet.'

'Nou,' vond Leo, 'als ik zie wat Ernest kost.'

'Dat is heel wat anders,' vond Hugo, 'zo'n studie èn muzieklessen.'

Hugo had waarachtig geen zin om Leo weer eens uit te leggen dat zijn kinderen geen hoogvliegers waren. 'Nee, dat is een héél uitzonderlijke jongen, Leo, die zoon van jou.' Als ze daar niet door op een ander onderwerp kwamen zodat hij eindelijk even rustig kon zitten, dacht Hugo, dan wist hij het niet en hij schoof eens lekker achteruit in die prettige stoel en begon zijn pijpje te zoeken.

'En wat maakt nou dat je denkt dat ze gaan trouwen,' zei Roos, 'dat doet lang niet iedereen meer tegenwoordig.'

Gadverdamme, Rosa kon toch knap vervelend wezen vond Hugo, als we die eens thuis konden laten met Kerst.

'Ik ken Wiesje,' zei Hugo nadrukkelijk.

'Ik ook,' zei Leo.

'Nou dan weet je het,' vond Hugo. 'Die zal het nooit maar dan ook nooit met haar geweten kunnen verenigen om over de puthaak te leven, alleen voor haar kinderen al niet.'

'Oh ja,' zei Roos, 'als ze maar genoeg de pest aan je heeft dan kan dat best.'

'En dat heeft ze,' wist Leo.

'Je vergist je,' vond Hugo. 'Wiesje heeft heus wel begrip voor mijn situatie.'

'Met wie dacht je dat je getrouwd was geweest, met de Heilige Maagd?' vroeg Rosa kwaad.

'In elk geval,' zo hoopte Hugo dit nare onderhoud dan

eindelijk te besluiten, 'in elk geval heb ik haar alimentatie ingehouden, ik ben niet van plan om de pleziertjes te financieren van een kerel die in het geld zwemt.'

'Daar zul je spijt van krijgen,' wist Rosa.

'Straks moet je ook Wiesjes advocaten nog betalen,' vond Leo.

'Dan zien we wel weer.' Hugo verslikte zich in de rook van zijn eigen pijp.

Ze zwegen, het viel niet mee om een nieuw begin te vinden en Rosa dacht aan haar eigen boekje. Het eerste hoofdstuk was het moeilijkst geweest.

'En wat doe jij zoal,' vroeg Hugo, 'nu je niets te doen hebt?' En na deze krachtsinspanning zijnerzijds kon het Hugo geen bliksem meer schelen wat of Rosa wel doen zou nu zij niets te doen had. Rosa evenwel was aangenaam getroffen door de plotselinge belangstelling in haar bestaan.

'Ik schrijf een boekje,' zei Roos zo bescheiden mogelijk.

'Het is niet te geloven,' vond Hugo, 'iedereen schrijft tegenwoordig en niemand leest, ik snap dat niet.'

'Het wordt heel aardig,' hielp Leo.

'Dat is te hopen,' vond Hugo, 'het is bar en boos met de Nederlandse literatuur,' en hij probeerde zich te herinneren wanneer hij voor het laatst een boek had gelezen. Terug naar Endegeest of zoiets moest het geweest zijn dacht Hugo en hij zag zich weer aan het strand zitten in Italië. Almaar proberend om geen zonnebrandolievlekken op dat boekje te krijgen. God wat had Hugo zich verveeld onder die parasol met al zijn verbrande kinderen die jankten om de cocosnoten die ze thuis niet lustten.

'Het is bedoeld om te lachen,' zei Roos.

'Kom ik er misschien in voor?' vroeg Hugo.

'Rosa zegt net dat het bedoeld is om te lachen,' zei Leo.

'Neem me niet kwalijk.' Hugo schoof z'n pols vast uit z'n mouw om straks onopvallend te kunnen kijken hoe laat het was. Regeren is vooruitzien.

'En ik maak een liedje voor Ernest,' zei Roos.

'Oh ja?' vroeg Leo, 'gaan jullie samen op tournee?'

'Ik weet niet precies waarom hij het wilde hebben, maar ik vond 't leuk dat hij het vroeg,' zei Roos verlegen.

En Leo glimlachte haar toe. God, hij hield van Rosa en Leo hield in stilte een kort dankgebed.

'Zou er sneeuw liggen in de Eifel?' vroeg Hugo.

'Vast wel,' wist Leo.

'Ernest vroeg of ik meeging, dat zal hij toch wel met jullie overlegd hebben hoop ik,' zei Hugo.

Leo en Rosa keken elkaar verbaasd aan.

'Kom ik maak eens even wat toast,' zei Roos en ging naar de keuken.

'Ik zal nog eens een flesje openmaken,' zei Leo en verdween.

En toen kon Hugo eens even op z'n gemak op z'n horloge kijken, het was half elf.

'Hoe kan dat nou,' fluisterde Leo.

'Niets voor Ernest,' zei Roos.

'Even bellen misschien,' opperde Leo.

'Kan niet.'

'In de slaapkamer?'

'Hoort ie.'

'Nou dan moet het maar.'

'Ja,' knikte Rosa.

'Zo kerel, daar zijn we weer,' zei Leo hartelijk, 'een Beaujolais is het geworden, heb je daar bezwaar tegen?'

'Geenszins,' zei Hugo inschikkelijk.

'Dus we zitten met z'n vieren onder de misletoe strakjes?'

'Alleen als jullie dat ook zouden willen,' zei Hugo bescheiden.

'Natuurlijk Hugo,' zo kwam Rosa binnen, 'gezellig toch?' en ze zette de schaal met toastjes op tafel.

41

Klokke half twaalf meende Hugo maar eens te moeten opstappen en zijn voorstel ontmoette verbazend weinig weerstand.

Nauwelijks hadden zij de voordeur achter hem dichtge-
daan of Leo zat al aan de telefoon. 'Beste vriend,' zei Leo,
'met je vader. Hoe kom jij erbij om mensen uit te nodigen
met Kerst zonder ons daar iets van te vertellen. Ik weet niet
of het je bekend is maar je vader moet al heel dikwijls optrekken met mensen die hij niet heeft uitgenodigd. Jij weet
van niks. Hij weet van niets,' bracht Leo Roos op de hoogte
terwijl hij de hoorn even bedekte.

'Voilà,' zei Roos. 'Het zij zo. Oh lieve hemel, nou hebben
we hem wéér weg laten rijden met al die wijn in z'n kraag,
straks zit hij weer ergens tegen op,' en ze liep naar het raam
om te zien of Hugo nog tegen te houden viel met zijn Mitsubitshi Turbo Lancia. Maar dat was niet het geval.

'Jan,' zei mevrouw De Bruin, 'moet je nou horen, Tiny heeft de zak gekregen, erg hè?'

'Van dat stuk waar jullie altijd over liggen te dollen? Tel uit je winst,' vond haar man.

'Ja,' zei Truus 'maar even zo goed is het erg.'

De Bruin haalde z'n schouders op en bestelde zwijgend een pilsje.

'Ik bedoel eigenlijk dat je ze nou niet zo moet treiteren als ze straks komen.'

'Ik treiter nooit,' zei De Bruin.

'Jawel, jij treitert wel, De Bruin,' zei Truus streng.

'Treiter ik wel eens?' vroeg De Bruin nu aan de dame achter de tap.

'Hij,' meende deze, 'die man die weet niet wat het is,' en ze schonk mevrouw De Bruin een knipoog.

'Maar tòch,' zei Truus koppig.

'Kijk 'ns wie we daar hebben,' verwelkomde De Bruin zijn vriend, 'daar hebben we Willem.'

De vrouwen begroetten elkaar hartelijk.

'Willem komt naast mij zitten,' zei De Bruin, 'ik zal eens even zijn kruk oppoetsen dat ie lekker zit,' en hij haalde zijn zakdoek te voorschijn en wreef over de zitting.

Net wilde hij aan de pootjes beginnen of Tiny vroeg: 'Wat heb jij?'

'Niks,' zei De Bruin, 'da's hartelijkheid, dat heb ik vaak tegen Kerstmis.'

'Daar mag je dan wel 'ns naar laten kijken,' vond Tiny en schuifelde gezellig naast Truus. 'En hoe ga jij meid?'

'Dat kan ik jou beter vragen, wat een ellende hè.'

'Oh da's opgelost,' zei Tiny luchtig en ze schudde even

43

met haar permanent en streek het toen met beide handen langs haar oren naar achteren.

'Pilsje hier,' zei De Bruin en wees op Willem. Deze zat wat wantrouwend te kijken maar liet het zich toch wel smaken.

'Zo,' zei De Bruin terwijl hij zijn mond met de rug van zijn hand afveegde, 'wat kan ik nou 'ns voor je doen Willem.'

'Ik dacht dat ik dat al eens aan je uitgelegd had,' zei Willem somber en keek naar z'n glas.

'Jij moest eens wat meer lachen Willem,' zei De Bruin, 'zo haal je ongeluk aan.'

'Om jou zeker.'

'Vind je mij dan geen humoristisch type,' vroeg De Bruin. 'Truus, meneer hier zegt dat ik geen humor heb.'

'Zeg ik niet Jan,' zei Willem, 'dat heb je me niet horen zeggen.'

' 't Is anders wel wáár,' zei Truus en wendde zich verder tot Tiny.

'Wat doe jij nou zo'n hele dag,' vroeg De Bruin, 'nou 't visseizoen gesloten is.'

'Van alles,' zei Willem.

'Wat nou van alles, jij moet eens conversatielessen nemen.'

'Nou ik breek de slaapkamer uit bijvoorbeeld,' gaf Willem moeizaam toe.

'Moet ie dan groter?' vroeg De Bruin ongelovig.

'Nee kleiner nou goed.'

'Nou ja,' vond De Bruin gepikeerd 'ik vraag het maar vanwege de belangstelling. 't Is meer een tijd van inkrimping dan van uitbreiding, vandaar.'

'Over 't plat, ik trek de woning over 't plat als het ware,' lichtte Willem geduldig toe.

'Dwars door de buitenmuur, ga je door de buitenmuur

heen? Dat is toch een dragende muur man strakjes lig je onder 't puin.' De Bruin zag het voor zich.

'I-balk,' zei Willem.

'Oh, nee ik dacht al,' zei De Bruin gerustgesteld.

'Maar ik heb geen I-balk.'

'Da's nou zonde,' vond De Bruin.

'Kan jij geen I-balk voor mij verzorgen?' vroeg Willem brutaal.

'Vraag maar aan Truus,' zei De Bruin, 'die wou jou zo nodig helpen. Truus heb jij nog een I-balk voor Willem hier in je bergmeubel liggen?'

'Best kans,' zei Truus, 'kijk maar 'ns achter het naaidoosje.'

De Bruin boog zich en zat geïnteresseerd naar Truus' achterwerk te staren.

'Ik zie niks liggen.'

'Wat doe je nou,' vroeg Truus naïef, 'heb ik wat van je aan misschien?'

'Nee,' zei De Bruin 'ik zoek even de I-balk voor Willem.'

Maar Willem moest er niet om lachen en daarom grinnikte De Bruin maar even in z'n eentje.

'Je moet meer humor hebben Willem,' zei De Bruin terwijl hij weer overeind kwam.

'Stel je eigen niet zo aan wil je,' zei Truus kribbig, 'of ik ga verzitten.'

'Mij best,' zei De Bruin en schoof haar alvast de rug toe.

'Zonder dollen,' zei Willem, ' 't hoeft niet voor niks daar ben ik niet op uit.'

' 't Zou kunnen dat ik er een wist te liggen,' zei De Bruin peinzend.

'Neem een pilsje,' zei Willem, 'dan kan je beter denken.'

Ze klonken.

'Ik zie hem liggen,' zei De Bruin, 'maar 't is wel avondwerk. Metertje of drie?'

Drieëneenhalf,' zei Willem, ' 't is een ruime kamer.'

'Drieëneenhalf, je hebt goed opgemeten?'

'Ja,' knikte Willem, 'ik zal mijn eigen slaapkamer niet kennen.'

'Gemeten vroeg ik.'

'Gemeten,' zei Willem braaf.

'We gaan,' zei De Bruin.

'Meteen?' vroeg Willem geschrokken.

'Moest jij een I-balk?'

Willem knikte beschaamd.

'Dan halen wij toch even een I-balk als jij een I-balk moet.'

En De Bruin begon zijn windjack te zoeken.

'Wat gaan die nou doen?' vroeg Tiny.

'Wij zijn zo terug,' zei De Bruin, 'maak je maar geen zorgen, ik wil dat je ruim kan liggen.'

'Wat gaan die twee nou doen,' wilde Tiny van Truus weten.

Truus haalde de schouders op: 'Als ze hun eigen maar amuseren dan vind ik het allang best.'

'Jawel, maar geen kattekwaad,' vond Tiny. 'Jij een bessen?'

'Laat maar komen. Toch lekker voor je meid dat je meteen ander werk hebt kunnen krijgen.'

'Zeg dat wel,' vond Tiny, 'ik had het er trouwens toch niet meer naar m'n zin. Nee, ik werk liever voor een man alleen, dan ben je meer je eigen.'

'Wat jij,' zei Truus. 'Is 't een beetje een stuk, hoe zal ik het zeggen.'

'Nou 't is wel heel wat minder,' gaf Tiny toe. 'Beetje kalend hè, maar wel helder op zijn eigen.'

'Oh dat is altijd lekker,' vond Truus meelevend.

' 't Schijnt dat ie gescheiden is.'

'Krijg je tramgeld?' vroeg Truus opeens zakelijk.

'Wat heet,' zei Tiny, 'daar kan ik Mokum drie keer mee

rond als ik wil.'

'Jij gaat toch altijd op de fiets?'

'Jazeker, maar zolang hij geen strippenkaarten uitdeelt kan Tiny hier er mooi de kapper van betalen zo is het toch? Nog een bessen? Waar zouden die kerels nou toch heen zijn?'

'Zeg 'ns,' vroeg Truus, 'ben jij daar nou echt nieuwsgierig naar?'

'Nou ja.'

'Dat kan mij nou niks schelen,' zei Truus en zuchtte.

'Je hebt toch geen zorgen hè,' vroeg Tiny hartelijk.

'Nee, daar ben ik een hele tijd geleden van afgestapt.'

'Is dat aan te raden,' vroeg Tiny.

'Oh ja,' zei Truus, 'dat leeft veel makkelijker. Zal ik nou eens?'

'Wel ja, 't hoeft niet allemaal van een kant te komen.'

'Wat je zegt,' vond Truus, 'twee bessen hier.'

' 't Is glad,' zei Willem, 'je mag wel uitkijken, je kan zo in de slip raken.'

'Heb jij een zakdoek?' vroeg De Bruin.

'Jawel,' zei Willem en voelde eens in z'n zak.

'Die moet je heel goed bewaren,' zei De Bruin, 'die hebben we straks nodig.'

' 't Zal mij benieuwen,' zei Willem sceptisch.

'Je gaat nou niet even het moreel liggen te ondermijnen, dan maken we rechtsomkeert,' zei De Bruin streng.

'Waar gaan we heen,' vroeg Willem.

'Dat zal je vanzelf wel zien als we er zijn,' zei De Bruin. 'Nou gaan we hier naar links.'

'Let op 't aanhangwagentje.'

'En nou even kort naar rechts en dan moet jij 'ns kijken.'

'Ik geloof dat ik het weet,' riep Willem opgetogen.

'Je werk!'

'Wat dacht je anders,' zei De Bruin, 'dat ik her en der Ibalken had liggen.'

'Dat kan toch niet dat is toch link Jan,' vond Willem huiverig.

De Bruin stopte abrupt zodat het aanhangwagentje een beetje ongelukkig dwars op het glimmende asfalt kwam te staan.

'Nou moet jij eens goed naar me luisteren Willem,' zei De Bruin. 'We kùnnen keren.'

'Dat bedoel ik niet Jan.'

'Nou dan, dan moet jij je eigen een beetje inhouden. Doe ik het voor jou of voor mezelf?'

'Voor mij Jan,' zei Willem gehoorzaam.

'Dan moet jij mij niet zo zitten te hinderen,' mopperde De Bruin en gaf zoveel gas dat Willem bijna z'n nek brak door de vaart waarmee zijn hoofd naar achteren schoot.

' 't Is glad Jan,' beefde Willem.

'Nou drop ik 't bakkie net even voor het gaas weg en dan ga ik mijn eigen even verpozen en als ik dan terugkom dan heb jij een gaatje geknipt en dat balkje even op 't wagentje geladen.'

'Dat kan ik toch nooit tillen in mijn eentje Jan.'

'De blikschaar ligt achter in de wagen,' zei De Bruin, stapte uit en liet Willem vertwijfeld achter.

Terwijl De Bruin op z'n gemak toilletteerde tegen de bouwkeet begonnen de ijzeren balken die voor het opscheppen lagen Willem Sanders steeds meer in vervoering te brengen. Zijn krachten namen toe naarmate hij meer geïnspireerd werd.

De balk lag nu halverwege en Willem raadde dat hij nog vier flinke rukken te doen had voordat 't karwei geklaard zou zijn. Jantje kwam hem zelfs helpen met het laatste stootje.

Maar nee: 'Ben je nou achterlijk geworden,' riep Willem in z'n drift toen ie merkte dat De Bruin de balk die voor

Willem inmiddels uit louter goud bestond juist weer ín het hek begon te duwen.

'Kijk 'ns achter je,' fluisterde De Bruin.

Willem zag iets wits maar besloot zich er niets van aan te trekken.

'Wat moet dat heren,' vroeg de inmiddels uitgestapte agent.

'Dat zit zo,' zei De Bruin. 'Mijn kameraad hier en mijn persoontje wij hadden een balk over en nou liggen hier net zulke balken dus wij dachten die leggen we er even bij. Misschien dat die mensen er nog wat mee weten te doen. Zo is het toch Willem?'

Ja, knikte Willem, zo is dat. Maar hij durfde niets hardop te zeggen omdat hij bang was dat hij dan zou gaan huilen.

'En dat kan niet overdag, gewoon door het hek?'

'Nee,' zei De Bruin, 'hoor 'ns overdag heb ik m'n werk.'

Neuriënd stak Hugo die ochtend de sleutel in het slot van die mooie grachtengroene voordeur: 'Wo die weisze Flieder pim pom pom en wo die weisze Flieder pom pim pim,' deed hij de deur van zijn kantoortuin open. Het rook naar koffie en een beetje naar Wil. En Hugo had die eau de toilette van Dior zelf aan Wil gegeven dus het is begrijpelijk dat hij het een prettig luchtje vond.

'Wat ruikt het hier heerlijk,' zei Hugo vrolijk.

'Goed dat u zo vroeg bent,' zei Wil, 'dan kunnen we even gezellig koffie drinken voor ze komen.'

'Ja,' zei Hugo, 'dat had ik ook gedacht.'

'Hoe is het toch met die soep afgelopen,' vroeg Wil belangstellend, 'is het een beetje gelukt?'

'O ja,' vond Hugo, ' 't was wel wat veel.'

'Dat moet u invriezen.'

'Kan dat?' vroeg Hugo verbaasd.

'Daar heb je speciale dozen voor,' wist Wil.

'Hoe bestaat 't.'

'Zal ik er eens een paar voor u meenemen?' bood ze aan.

'Als je dat zou willen doen,' zei Hugo en keek blij naar boven, waar Wil die aardige kopjes naar het bureau aan het vervoeren was.

'Hoe was het concert?'

'Prachtig,' zei Hugo, 'we hebben genoten, in één woord àf, af was het tjonge jonge wat was dat àf.'

Dit scheen Wil om een of andere reden geen leuk bericht te vinden zag Hugo.

'Mijn neefje was er ook weg van,' zei hij toen. En daar leek Wil nu juist weer geweldig van op te fleuren.

'Wat enig,' zei ze, 'is dat joch zo muzikaal?'

'Niet te geloven, en verstandig. Je moest hem echt eens leren kennen.'

'Graag,' zei Wil, 'u hebt al zoveel over hem verteld, dat hij zo knap was wist ik wel, maar dat hij ook nog muzikaal was nee dat had ik niet gedacht. Dat gaat niet zo dikwijls samen.'

'Hoezo?' vroeg Hugo.

'Ik hoor ze wel eens praten op de radio en dan denk ik altijd bij mezelf niet druppelen maar...' hier aarzelde Wil even en ze lachte beschaamd achter haar hand.

'En Arthur Rubenstein dan,' wierp Hugo tegen, 'ik zou denken dat die adrem was tjonge jonge.'

'Wilt u nog koffie?'

'Graag,' zei Hugo. 'Zeg dat vonnis van Onderwijs je weet wel dat wordt een prachtige zaak hoor,' vervolgde hij tegen Wil's rug.

'Ja is het niet vreselijk.'

'Dat wèl,' vond Hugo. 'Heb je zoiets ooit meegemaakt èn de fundering èn het schokbeton, nee dat gaat in de miljoenen lopen.'

'Dat is precies wat we nodig hadden,' zei Wil, 'ik heb de vonnissen eens geteld dit jaar.'

'Oh ja?' vroeg Hugo, hij vond het niet zo'n aardig onderwerp.

'Het zijn er toch heel wat minder geworden dan vorig jaar.' Wil wist van doorzetten vandaag, dat kwam vast door de opluchting van het neefje anders had Wil allang een onderwerpje gevonden waarmee ze het Hugo meer naar de zin kon maken.

'Dan lopen we eindelijk de achterstand eens in,' vond Hugo.

'Er is geen achterstand,' wist Wil.

'Hebben we geen achterstand?' vroeg Hugo, 'hoe kan dat nu toch.'

'Ingelopen,' zei Wil.

'Tjonge jonge, dat is wat.

'Zegt u dat wel. Ik dacht dat u dat allang wist.'

'Nee,' zei Hugo naar waarheid, 'dat was me eerlijk gezegd ontgaan.'

'U hebt ook zoveel aan uw hoofd,' vond Wil vriendelijk.

'Dat wel,' zei Hugo. 'En het fonds,' vroeg hij toen, 'hoe staat dat ervoor?'

'Ook iets minder natuurlijk,' zei Wil voorzichtig.

'Toch goed dat we daar nooit iets uit opgenomen hebben.'

'Zegt u dat wel,' zei Wil maar weer eens.

'Daar wilde jij toen die dossierkast van kopen, weet je dat nog Wil?'

'Ja,' zei Wil beschaamd. 'Maar goed dat u dat niet gedaan hebt. De rente is ook minder nu.'

'Uiteraard.'

'De rentestand bedoel ik.'

'Ook dat nog,' zuchtte Hugo, 'zeg heb je niets aardigers te vertellen vanmorgen?'

'De ficus heeft een knop, komt u maar kijken.' En net wilden ze samen gezellig naar de ficus dribbelen of daar stond Anton, Hugo's veelbelovende jonge medewerker.

'Goeiemorgen,' zei Anton en wreef zich in de handen, 'is Belinda er nog niet?'

'Nee die staat pas op als 't licht is tegenwoordig,' zei Wil over haar schouder, ' 't is nèt een marmot.'

'Aan de slag dan maar,' vond Anton, 'breng je m'n koffie even naar m'n tafel?'

Hugo was inmiddels ook maar achter zijn bureau gaan zitten, de gezelligheid was toch weg zodra die kerel er was.

'Hier is uw koffie,' zei Wil, en kwam ermee achter zijn laurier uitgedoken.

'Ik ook graag Wil,' riep Anton dringend onder de vingerplant door.

'Goeiemorgen,' zei mooie Belinda in de deuropening.

'Leuk dat je nog even langs komt vandaag,' kiftte Wil. 'Breng meneer Anton zijn koffie.' Maar Belinda hoorde dat niet want Belinda was zich even aan het opmaken en aan het touperen zodat ze er tussen de planten achter haar IBM ook een beetje leuk uit zou zien om naar te kijken.

'Koffie graag,' riep Anton nu driftig door de vingerplant.

'Hou je gemak,' zei Wil tegen de cactus die ze zelf had meegebracht omdat er in het hele kantoor geen cactus geplanned was door de binnenhuisarchitect.

En zo verliep de dag rustig en gezellig daar op dat intieme kantoor. Niets duidde op het vreselijke noodlot dat de secretaris van de Stichting tot beslechting van geschillen voor de bouwbedrijven in Nederland en zijn vlijtige medewerkers diezelfde dag nog treffen zou in die sfeervolle omgeving.

Het moet tegen een uur of vijf geweest zijn, want Belinda was zich net aan het verfrissen om straks een beetje leuk op de fiets te zitten toen er gebeld werd. Had Wil nu toch maar 'Wie is daar' gevraagd maar Wil kon het natuurlijk ook niet weten en als ze het wel had geweten dan had ze Wiesje waarschijnlijk ook wel open gedaan.

Wiesje begon met de deur van de kantoortuin eens eventjes flink open te gooien. En omdat Wil het altijd mannenwerk had gevonden om zo'n handige deurtegenhouder in de vloer te schroeven en dat voorwerpje nu al een half jaar in haar rommeltjesla linksachter de memootjes had liggen, daarom klaterde nu die royale glasruit uit die mooie deur. Wiesje leek verbazend veel op een officier van het Leger des Heils zoals ze daar op haar stevige stappers recht op Hugo z'n witte bureau kwam afgemarcheerd.

'Jij schoft,' zei Wiesje, 'jij zwijn,' en Hugo zat met zulke grote verbaasde ogen naar Wiesje te kijken dat Wiesje wel gedwongen was om die pot met die mooie laurier op te tillen en hem een half metertje boven zijn bureau los te laten om van dat verbaasde gezicht van Hugo af te wezen.

Jammer genoeg was Hugo daarna zo dom zich uit de laurier los te maken en op te staan want nu moest Wiesje Anton's vingerplant weer pakken, zo kwam ze nooit klaar.

Belinda vond het ook gek want ze stond met open mond en haar toupeerkam nog in de hand naar het tafereeltje te kijken voor ze ging gillen.

Toen Wiesje dat hoorde begreep ze blijkbaar meteen dat die IBM bij Belinda hoorde en daarom sleepte Wiesje hem gauw eventjes uit het stopcontact zodat ze iets aardigs had om naar Wil toe te gooien. Wiesje leek een beetje teleurgesteld dat ze Wil gemist had zodat ze het nog maar eens probeerde met Arnold's okergele pennenbakje. Dat kwam gelukkig wel op het goede adres zodat Wil een aardige bult op haar hoofd begon te krijgen, maar daar kunnen we nu geen aandacht aan besteden natuurlijk.

Bovendien was Wil degene die nu zelf in actie kwam. Ze greep haar eigen mooie cactus bij de pot en liep er als een steekwapen mee op Wiesjes rode gezicht af. Met uitgestoken armen liep Wil met haar phallussymbool recht voor zich uit naar de plaats waar ze Wiesjes gezicht zo even nog had gezien. Maar jammergenoeg hield Wil haar ogen stijf dicht vanwege de concentratie zodat Wil haar moordwerktuig recht op die beeldige kalender van stadsherstel platdrukte.

Wiesje had inmiddels ook niet stil gezeten en stond vrolijk te trappelen op dat handige rekenmachientje waar Hugo zo blij mee was geweest omdat men er wortel mee kon trekken en er bovendien cumulatief de rentetarieven mee kon berekenen.

Het zag er opeens heel anders uit op Hugo's kantoor, net of de huishoudelijke hulp uit een foutief geprogrammeerde computer had bestaan die tenslotte het raam uit was gewipt. Want – en daarom zaten ze met z'n vieren zo gek te kijken Hugo, Anton, Wil en Belinda – Wiesje was even snel verdwenen als ze gekomen was. Het enige wat er te beluisteren viel was Belinda's gesnik en daarna de klap waarmee de telefoon van Hugo's bureau afviel als een soort laatste paukenslag na een overweldigend concert.

'Heb je ooit,' riep Wil en liep op Hugo toe om te zien of hij nog heel was. Gelukkig zat Hugo ongeschonden naast zijn bureau. Anton en Belinda bleken ook niets te mankeren zodat Wil eigenlijk het enige slachtoffer was van deze natuurramp.

'Laten we eerst eens rustig gaan zitten,' zei Wil, 'hou jij ook op met dat gejammer' (die was voor Belinda). En zij zette de omgevallen stoelen rechtop aan de vergadertafel. Hugo veegde wat aarde weg met een los blad van Anton's vingerplant.

'Ik wil naar huis,' zei Belinda.

'Ga maar,' zei Hugo.

'Moet ze niet helpen opruimen?' vroeg Wil praktisch.

Nee, schudde Hugo verslagen.

Anton en Wil keken nu verwachtingsvol naar Hugo die toevallig aan het hoofd van de tafel terecht was gekomen zodat het net leek alsof Hugo zou gaan vertellen dat ze salarisverhoging kregen en dat zij al wisten dat hij dat zou gaan zeggen zo hartelijk en welgezind keken zij hem aan.

Maar toen Hugo almaar bleef zwijgen raakte Wil even zijn hand aan om hem aan te moedigen en Hugo trok de zijne als door een wesp gestoken terug. In werkelijkheid was het de cactus die Wil's hand zo een stekelig karakter gaf. Maar daar had Wil nog geen erg in dus schrok ze.

'Ik heb haar alimentatie ingehouden,' zei Hugo en keek naar zijn tafelblad.

'Dat kan toch niet de reden zijn voor zoiets,' vond Anton en wees om zich heen.

Hugo haalde zijn schouders op.

'Waar zou dat vandaan komen,' vroeg Hugo toen opeens

en hield een koperen sluitringetje omhoog.

'Dat zal wel uit de schrijfmachine komen,' vond Wil.

'Nee uit mijn pennenbakje,' zei Anton maar liet zich verder niet van het onderwerp afleiden.

'Hebt u echt niet iets anders gedaan,' hielp Wil.

'Briefje geschreven,' zei Hugo en hij haalde er zijn schouders bij op.

'Hoezo,' vroeg Wil en trok er haar wenkbrauwen zo bij op dat ze opeens de buil op haar eigen voorhoofd zien kon.

'Nee,' zei ze, 'dat had u echt niet moeten doen.'

' 't Is gebeurd,' zei Hugo en keek eens om zich heen.

'Dat is dan niet helemaal goed gevallen,' wist Anton.

'Gelukwensen,' zei Hugo, 'je schijnt niemand meer geluk te mogen wensen.'

'Waarmee wilde u haar dan feliciteren?' vroeg Wil.

Hugo keek haar verbaasd aan.

'Nee!' zei Wil.

'Waarmee dan?' vroeg Anton.

'Met hun huwelijk, is 't niet?' zo toetste Wil haar veronderstelling.

Hugo hoefde maar te knikken.

'Jij zei toch dat ze gingen trouwen.'

'Hoe komt u daar bij?' vroeg Wil verontwaardigd.

'Oh,' zei Hugo, 'dan dacht ik het zeker alleen maar.'

Het was wonderlijk hoezeer Hugo er die avond de behoefte toe voelde om eens met Ernest te overleggen hoe hij de situatie aan zou moeten pakken. Hij kon met hem gaan eten natuurlijk. Zo'n jongen at uiteraard onverstandig. Vrouwen, dacht Hugo, hij zou ze nooit begrijpen en eigenlijk had Hugo daar ook geen zin in vanavond.

Ernest had het druk, niet alleen moest hij vroeg in de middag tentamen doen en restten hem nog enige bladzijden
waaraan hij niet was toegekomen maar bovendien wilde hij
piano spelen vanmorgen.

Vandaar dat het hem wel bijzonder slecht uitkwam dat
mevrouw De Bruin even kwam aanwippen om uit te leggen
dat haar vriendin nu zij niet meer bij hèm thuis werkte bij
zijn oom Hugo was begonnen. En wat hem nog slechter uitkwam dat was dat mevrouw De Bruin zei dat ze voortaan
wel zou waarschuwen als ze er weer eens op uittrok zodat hij
dan piano kon spelen zoveel als hij maar wilde.

'Goed mevrouw,' zei Ernest.

En of zij toch niet beter zijn was kon doen want de machine stond ervoor.

'Dank u wel voor het aanbod,' zei Ernest, 'maar ik doe het
toch liever zelf.'

En of zij dan misschien iets voor hem mee zou kunnen
brengen want zij ging weer naar die slager.

'Dank u wel,' zei Ernest, 'hoe lang blijft u ongeveer weg?'

Maar mevrouw De Bruin vond het jammer genoeg niet de
moeite om voor zichzelf alleen te gaan. En zo bleef Ernest
achter met het ongemakkelijke gevoel dat hij onvriendelijk
was geweest tegen mevrouw De Bruin en hij had opeens
geen zin meer in z'n tentamenstof hoewel hij medische fysica toch een leuk vak vond.

Er stonden Ernest trouwens nog heel wat meer verras-
singen te wachten die dag. In de eerste plaats belde de vakgroepssecretaresse hem op om te zeggen dat professor De
Winter hem die middag graag thuis wilde ontvangen en of
hij daar bezwaar tegen had en misschien zijn tentamen lie-

ver verplaatst wilde zien. Nu had Ernest daar inderdaad bezwaar tegen want zijn kennisbestand was eigenlijk nog te wankel om een vreemde omgeving te kunnen verdragen, maar het leek niet zo praktisch om hoogmoedig te zijn in deze situatie. Bovendien zo was de vraag zou Ernest er dan misschien nu direct naar toe willen gaan want professor De Winter moest 's middags weg. En dit kwam uiteraard ook weer niet goed uit want er zaten nog een paar akelige witte plekken in Ernest's weetjesvoorraad. Maar, zo wist Ernest als elke andere student, men kon het de dames en heren docenten niet genoeg naar de zin maken zolang men zich in de afhankelijke positie bevond. Dus stemde hij ook hierin toe.

Ernest trok zijn jas aan en merkte dat het buiten regende en dat er een ellendige wind stond waar hij tegenop zou moeten gaan fietsen. Hij zette zijn fiets weer op slot en besloot de tram te nemen.

Het viel niet mee de plassen op de stoep te ontwijken en bovendien kon men het zo treffen dat men dacht een stevige droge tegel onder de voet te hebben die dan opeens bleek te wankelen zodat er een aardige kwak water uit opspoot. Ernest die nooit het vermakelijke van de bedriegertjes goed had begrepen kon ook hier de humor niet van inzien.

Het was een statig huis en Ernest trof het want de werkster was net de bel aan het poetsen zodat het wachten tot hij binnengelaten zou worden hem bespaard bleef. Nadat hij uitgelegd had waarvoor hij kwam legde zij met tegenzin haar doek neer en ging hem zwijgend voor: door de marmeren hal langs de sombere eiken trap omhoog. Hier moest Ernest zijn jas uit doen en aan de kapstok hangen vond ze en ze wachtte nors tot hij klaar was. Vervolgens zwiepte ze een brede deur open en daar stond Ernest in een grote vrolijke kamer die eindigde in een serre die uitzicht op het park bood. Voorzichtig liep Ernest langs het bureau dat haaks stond op een lange werktafel die eindigde in een boekenwand. De bank en de leren stoelen aan weerszijden van de open haard werden opgevrolijkt door kleurig geborduurde kussens die, zo wist Ernest zich te herinneren, van oud-Mexicaans motief moesten zijn. Voorzichtig liep hij over het parket langs het hoogpolige witte tapijt naar de serre. Alleen de eikebomen in het park hadden hun bladeren behouden. Buiten, door de regen, liep een zwarte paraplu, die zodra hij de tuin gepasseerd was omklapte waardoor men goed zicht kreeg op de constructie ervan en op het karakter van de ongelukkige wandelaar. Ernest stond daar zo belangstellend naar te kijken dat hij zijn hoogleraar niet binnen had horen komen.

'Zo, jij bent Ernest,' klonk het opgewekt. En terwijl hij zich omdraaide zag hij hoe zij de koffiekopjes van het blad nam en op de glazen tafel zette.

'Ik nam maar aan dat je daar trek in zou hebben.'

Zwijgend gaven ze elkaar een hand. Ernest vond het een beetje gek om wéér z'n naam te zeggen, die wist ze immers al en dag mevrouw klonk ook zo eigenaardig vond hij.

Hoe ongelukkig trof het nu dat professor De Winter het eerst eens met hem over de functie van het priemgetal in de module wiskunde hebben wilde. Ernest schaamde zich voor haar, méér nog toen zij hem bemoedigend toeknikte: 'Neem er maar rustig de tijd voor.'

Wetend dat nerveus rondwaren in zijn herinnering niets op zou leveren probeerde Ernest het maar eens op de vleugels van zijn fantasie. Professor De Winter had een positieve benadering, dat was wel duidelijk want ze vond zijn antwoord een aardig idee, maar niettemin wilde zij toch graag weten wat Ernest wist na te vertellen van wat hij bestudeerd had. Zou hij bijvoorbeeld een toepassingsgebied kunnen noemen?

'De rekenmachine misschien?' vroeg Ernest aarzelend, 'het inkorten van de rekentijd?'

'Precies,' vond professor De Winter, zij scheen zelf ook opgelucht door Ernest's ingeving. En daarna verliet zij tot hun beider tevredenheid dat vervelende vacuüm waar Ernest's angst haar waarschijnlijk naar toe had gedreven. Met de volgende vraag ging alles naar wens gelukkig en zo dwaalden ze al spoedig rond in de vermoedelijke gevolgen van het nieuwe afschermingsmateriaal dat zoveel minder röntgenstraling door liet dan het zo onpraktische lood dat men er tot op heden voor gebruikte. Ook voor de gevolgen had professor De Winter wel oog. Tandartsen bijvoorbeeld, zouden het toch al onzalig grote aantal foto's dat zij namen zeker uitbreiden zodat een parelende televisielach binnenkort stralingsgevaar voor de omgeving zou gaan opleveren. Ernest vergat bijna dat hij tentamen aan het doen was en ook mevrouw De Winter leek zich te amuseren. Ramp na ramp bedachten ze als vrucht van de voortschrijdende beschaving, de medische fysica in het bijzonder. Het moet wel de invloed van het naderende kerstgebeuren geweest zijn want opeens zei professor De Winter: 'Zeg eens, wat vind jij, wil je hier nu werkelijk in doorgaan later?'

Hier schrok Ernest even van, uitgeput als hij zich had in het bedenken van rampspoeden welke nu en in de toekomst door de medische fysica veroorzaakt zouden worden. En opeens zag hij ook dat mevrouw De Winter ernstig was en dat de vrolijkheid die zojuist nog van haar uitstraalde verdwenen was.

'Er is toch geen werk en ik houd van muziek,' zei Ernest, 'misschien moet ik dat wel gaan doen.'

'Wat speel je?' vroeg mevrouw De Winter.

'Piano,' antwoordde Ernest.

'Zou je,' en hier aarzelde ze even, 'heb je nog tijd?' vroeg ze toen. En op Ernest's verwonderde blik: 'Wil je 'ns voorspelen?'

'Graag,' had Ernest willen zeggen maar jammer genoeg kwam dat er niet van want professor De Winter's telefoon maakte een akelig einde aan Ernest's blijdschap.

'Mevrouw De Winter,' zei professor De Winter en toen zweeg ze zolang dat Ernest zich maar eens omdraaide om te zien of ze er nog wel was.

'Oh God,' zei Louise de Winter, 'Oh nee,' en toen wéér 'Oh God,' en toen begon ze te snikken. Ernest probeerde zich zo klein mogelijk te maken om minder storend te zijn. 'Maar waarom... Oh God waarom,' snikte zijn hoogleraar die zojuist nog grapjes had gemaakt over droevige gebeurtenissen. 'Ik kom ja, ik kom vanmiddag nog.' Toen ze de hoorn op de haak legde keek ze op nadat ze eerst een tijdje naar haar hand op de hoorn had zitten staren.

Ernest was opgestaan en stond voor haar bureau en voelde opeens de impuls om haar in z'n armen te nemen maar omdat hij dat niet durfde maakte hij alleen het eerste begin van het gebaar zodat hij net een jonge vogel leek op de rand van het nest tot vliegen bereid.

'Mijn kinderen,' zei Louise de Winter, 'allebei mijn kinderen!'

En Ernest wist niets beters te verzinnen dan zijn zakdoek aan te bieden.

'Kan ik iets voor u doen?' vroeg Ernest.

'Nee dank je,' zei Louise, 'ga maar, ik bel je nog wel.'

Ernest maakte nog een hulpverlenend gebaar en toen verdween hij als een dief in de nacht. In de gang hoorde hij haar snikken.

Thuisgekomen ging Ernest doodmoe op een van zijn twee stoelen zitten en legde zijn lange benen op de andere. Peinzend bekeek hij zijn witte schoenen en gedachteloos veegde hij wat modderspatten van zijn broekspijp.

Professor De Winter was wel beschouwd nog geen seconde uit zijn gedachten geweest. Hij zou iets moeten doen, maar wat. Hij dacht aan haar blonde haar dat zo naar voren was gevallen toen ze de hoorn van de telefoon op de haak legde.

En weer voelde hij die spiertrekkingen in zijn armen alsof dat onafgemaakte gebaar nog steeds klaar lag om voltrokken te worden. Wat zou hij voor haar kunnen doen, hoe moest, nee, hoe kòn een student vertellen hoezeer hij met zijn hoogleraar meeleefde. Dit leek de moeilijkste opgave van de dag te zijn en in elk geval die welke hij het allerliefste wilde oplossen. Ernest kon niet weg tussen Kerst en Oud en Nieuw dat was het eerste. Ernest moest de krant bewaken om te zien waar haar kinderen begraven zouden worden, al was het in India of in Zimbabwe, Ernest zou aanwezig zijn.

Toen de telefoon ging sprong hij op en bij het horen van Hugo's stem voelde hij alle vermoeidheid welke zojuist leek weg te zijn gezakt weer in zich opkomen. Daarom was het eigenlijk dat Ernest geen weerstand bood aan Hugo's dringende uitnodiging om in de stad te gaan eten. Accepteren kostte minder energie dan afslaan.

In haar knusse huiskamer zat Wil voor het raam en hield de overkant van de gracht, opvallend royaler van beurs opgezet dan de hare, nauwlettend in de gaten. Wil was blij met de decembermaand. Het wegvallen van het bladerdak had haar uitzicht beduidend uitgebreid en daardoor haar waarnemingen zeer aan betrouwbaarheid doen toenemen. Wil had het behoorlijk druk al zou men dat zo niet aan haar aflezen. Wil moest nummer 295 nauwlettend in de gaten houden, Wil moest ook haar telefoon bewaken, ze moest proberen aan iets anders te denken dan aan Hugo aan wie ze steeds denken moest en bovendien was het nodig dat Wil wat voor zichzelf zou gaan koken. Maar gelukkig had ze geen trek zodat dat laatste afviel.

Zoals men bij sommige obers het vermogen aantreft om een gesprek te kunnen verstaan dat op grote afstand gevoerd wordt, zo mocht ook Wil zich door haar toewijding meester op een gelijksoortig terrein noemen. Wil kon zien wat zich op 295 afspeelde alsof de verschijnselen zich onder haar neus voltrokken. En gelukkig zat Wil er niet voor niets vanavond want daar verscheen die lichtgrijze Sunbeam voorzichtig zoekend langs de gracht. Aan de stand van de koplampen wist Wil dat het haar studieobject zijn moest. Wil wist ook dat er nog een parkeerplaatsje vrij was verder op de gracht en dat het dus vergeefse moeite was voor die Sunbeam om nu al stapvoets naar dat plaatsje te zoeken. Maar dat is nu eenmaal altijd het voordeel als men de zaken van een standpunt bezien kan van waaruit men overzicht heeft over de situatie. Daarom is het ook onjuist te denken dat men in Zuid-Afrika geweest moet zijn om de situatie aldaar te kunnen beoordelen.

Het enige probleem is dat men, zodra er sprake is van twee of meer van zulke observatieposten, niet altijd tot eenzelfde oordeel daarover komt. Maar gelukkig deed zich deze moeilijkheid hier niet voor want het was Wil en Wil alleen die de gebeurtenissen aan de overkant nauwlettend bestudeerde.

De auto had eindelijk de vrije parkeerplaats bereikt die zij al voor hem had uitgezocht. Het portier ging open en daar kwam het grijze pak met het vlotte suède autojasje al aan gekropen. Nu zou normaal gesproken de voordeur van 295 open gaan, maar er gebeurde niets. Wil ging verzitten. Het stemmige grijze pak was ook wat verwonderd blijkbaar want het keek omhoog voor het op de bel drukte. Er brandde licht, dat had ze hem zó wel kunnen vertellen. Wil zag Wiesje staan dralen voor de deurtelefoon. Zou ze wèl, zou ze niet. Wil zat op het puntje van haar stoel. Nog eens bellen dacht Wil en waarachtig de man die daar aan de overkant rillend zijn jas om zich heen trok leek Wil's gedachten te raden. Nu leek Wiesje haar hand naar de telefoon uit te steken. Ja! Nee, dacht Wil teleurgesteld. Ze was er waarachtig een moment haar eigen telefoon door vergeten. Wil had haar raam wel open willen gooien om de vreemdeling toe te roepen: Nog eens! Nog eens! Het zit erin! Laat u niet ontmoedigen! Hup! Hup! Bijna, bíjna, doorzetten maar! En ja hij stak zijn hand uit en... oh nee! Ja tòch, met een forse beweging werd de bel ingedrukt! Toe maar, goed zo! moedigde Wil hem aan. Wiesje strekte nu haar arm uit en ja hoor! Wil slaakte een zucht van verlichting en ging weer wat achter uit zitten. De deur ging open.

Nu kwam er een tijdje niets, maar dat was onvoldoende om het koffieapparaat in werking te zetten wist Wil uit ervaring en daarom stak ze haar hand uit naar het bergmeubel waarin ze op de tast haar halve flesje bistrowijn wist te vinden en het glas. Zonder de zaak uit het oog te verliezen schonk ze in en nam een teugje. Het duurde lang deze keer, als dat zo doorging had ze toch beter koffie... maar nee gelukkig. Kijk nou toch 'ns aan, zei Wil tegen zichzelf, daar kwamen ze de kamer weer in. Wat nu? Lachen? Nee, gelukkig, Wiesje schokte van het huilen. 't Was handiger geweest als ik die man even verteld had wat Wiesje vanmiddag had aangericht dacht Wil. Oh dat was nu vervelend, Wiesje zakte op de grond aan zijn voeten en op zo'n manier kon Wil ze zelfs niet volgen als ze stond. Toe maar: hij ook over de vloer daar hebben we niks aan vond Wil en nam een flinke slok, die wijn was eigenlijk te koud. En ze plaatste het karafje even tegen de verwarming. Daarna keek ze of ze al boven water waren. Vanuit de slaapkamer misschien dacht Wil en holde de trap op. Dit bleek echter niet de goede oplossing; het was er in de eerste plaats te koud en in de tweede en belangrijkste plaats bevonden de ongelukkigen zich te diep in de kamer om haar observaties niet te doen stranden op die hinderlijke voorgevel. Inmiddels bleek Wil toch iets gemist te hebben want Wiesje en haar vriend zaten nu tegenover elkaar in de gebloemde fauteuils. Ze leken tegelijk te praten. Wiesjes vriend knielde voor Wiesje op de grond en begon haar gezicht af te vegen. Wiesje scheen nog steeds te huilen want hij bleef bezig terwijl hij onderhand haar het haar uit het gezicht streek. Toen nam hij haar weer in zijn armen en verdwenen ze uit het gezicht.

Wil bleef geduldig op haar post zitten en veerde op nadat – wat Wil voorkwam als uren later – de vreemdeling boven de waterspiegel opdook, op het raam toeliep en haar met enkele ferme rukken het adembenemende uitzicht ontnam door de gordijnen dicht te schuiven.

Teleurgesteld keek ze om zich heen. Het was donker in haar kamer. Het spaarzame schemerlampje verlichtte slechts de directe omgeving van de schoorsteen en Wil voelde zich danig buiten gesloten.

Zuchtend deed ze de staande schemerlamp aan en zuchtend bukte ze zich naar de spot boven het tafeltje met de leesportefeuille naast de bank. Toen viel de telefoon haar weer op, zou ze wèl, zou ze niet? Ze besloot nog een glaasje wijn te nemen en ging ermee op de bank zitten. Plotseling nam ze de hoorn op en draaide zijn nummer. Bevend wachtte ze. Hugo was niet thuis. En toen pas zag Wil dat er honderden stekelige naaldjes in haar handen zaten en het leken even zovele bijna onzichtbare splinters en toen pas begon Wil te huilen.

Hugo had op datzelfde moment waarop zij zo moedeloos en verdrietig de hoorn teruglegde net een schepje Zuiderzeepaling uit zijn roestvrijstalen dienschaaltje gevist. En Ernest had weer kleur op z'n wangen gekregen door de al te grote glazen witte wijn die door Hugo in een al te hoog tempo voor hem werden ingeschonken. Hugo scheen zich geweldig te amuseren en af en toe gaf hij Ernest een tikje op zijn hand om z'n verhaal kracht bij te zetten.
'Smaakt het?' vroeg Hugo. Ernest knikte met volle mond.
'Verheug je je ook zo op Kerstmis,' vroeg Hugo, 'dat kan fantastisch gezellig worden als wij daar samen zijn.'
'Gaan papa en Rosa dan niet?'
'Natuurlijk, natuurlijk,' stelde Hugo hem gerust, 'maar wij trekken er toch zeker ook wel eens samen op uit, je kunt toch niet steeds bij je ouwe lui blijven zitten?' En op Ernest's bedenkelijke blik: 'Wat zou je ervan denken om 'ns naar de opera te gaan?'
'Is er dan een opera?' vroeg Ernest verwonderd.
'Dat moet toch wel,' vond Hugo. 'Wandelen dan?'
'Ik wilde eigenlijk werken,' zei Ernest.
'Werken, werken, je werkt al veel te hard lieverd, ik wil dat je weer kleur op je gezicht krijgt en dat je mooie handen weer zo...' en hier zweeg Hugo. Ernest schepte zich nog wat groente op. 'Neem hier wat meer van, je eet veel te wei-

nig,' vond Hugo en schepte Ernest's bord veel te vol met paling waardoor hij enigszins kokhalzend nog maar een slokje wijn nam alvorens aan het nieuwe werk te beginnen.

'Heb je geen trek?' vroeg Hugo teleurgesteld toen hij zag dat Ernest de schoonmaakwerkzaamheden nog wat voor zich uit schoof.

'Ja hoor,' zei Ernest en probeerde zijn komkommer wat van de saus die Hugo erover had uitgegoten te ontdoen.

'Neemt u zelf ook wat,' zei Hugo tegen de ober.

Deze glimlachte geruststellend. 'Maakt u zich maar niet bezorgd.'

'Straks gaan we samen gezellig naar jouw huis,' zei Hugo. Ernest keek op. 'Misschien kun je wat spelen?' Ernest's blik kreeg iets gealarmeerds.

'Zeg het eens eerlijk,' zei Hugo toen ernstig. 'Is er ièts waarmee ik je een plezier zou kunnen doen, zeg het maar gerust het kan niet schelen wat.'

Zodra hij Hugo binnen had gelaten liep Ernest naar de wc en trok meteen door waarna hij zich ontdeed van het voor- midden- en nagerecht. Het geheel opgediend in de wijn die hem zelfs na verwijdering zo zuur op de maag bleef branden.

Hugo had het zich inmiddels al zo gezellig mogelijk gemaakt. Hugo had de lampen aan gedaan en de gordijnen gesloten. Nee Hugo was voorlopig niet van plan om te vertrekken.

Ernest kwam zo gewoon mogelijk de kamer binnen. Hij slikte nog wat na en veegde zich de tranen uit de ogen.

'Wat heb je onder de kurk,' vroeg Hugo terwijl hij zijn hand naar die van Ernest uitstak.

'Kan jij mij misschien een pilsje lenen?' vroeg Sanders brutaal.

Maar het bleek de foute vraag op het foute moment te zijn.

'Heel zeker niet,' zei De Bruin en hield zwijgend zijn eigen glas een eindje achter de tap. Het gebaar werd onmiddellijk begrepen. Vermoeid wreef De Bruin zich met beide handen over zijn voorhoofd en zijn ogen.

'Iets niet goed met je Jan?' vroeg Sanders hartelijk.

'Hoe is 't met je I-balk,' vroeg De Bruin toen hij was uitgewreven, 'heb je dat nog voor elkaar kunnen krijgen met jouw intelligentie?'

'Kom nou Jan,' zei Sanders opbeurend, 'je was er zelf ook bij.'

'Wat heet,' zei De Bruin gemoedelijk, 'als ik er niet bij was geweest dan had je hier niet om een pilsje zitten zeiken, dan had jij meer ergens gezeten waar niet getapt wordt dacht ik zo.' En toen ging hij weer even wrijven.

Sanders keek verongelijkt naar de deur.

'Daar zijn ze,' riep hij opgetogen.

'Ze zullen er nièt zijn,' zei De Bruin.

'Wat ben jij in ene hartelijk,' zei Tiny tegen haar Willem, 'hebben jullie mot?'

'Nee,' zei Sanders, 'nee 't is Jan hier die zit een beetje in depressie maar dat gaat heel goed over als jullie je eigen er maar niet mee bemoeien is 't niet zo Jan,' vroeg Sanders.

'Zo is het,' zei Jan de Bruin en liet zich nog een pilsje tappen.

'Wat is er met Jan,' vroeg Tiny aan Truus. 'Is ie uitgevroren?'

'Wat dacht je, dat mijn Jan zo keek als ie uitgevroren was?'

'Moeilijkheden dan?' hield Tiny vol.

'Tiny hier vraagt jou of je moeilijkheden hebt Jan,' drong Truus aan, 'en ze wou graag antwoord binnen vierentwintig uur als het kan!'

'Dan kan ze nou vast verlenging aanvragen,' zei Jan en zweeg.

Dit deprimeerde een beetje en mevrouw De Bruin ging wat met haar rug naar haar Jan toe zitten omdat ze niet van plan was behalve de dag ook de avond nog door Jan te laten bederven.

'Ik geloof dat ik het wel weet,' fluisterde Tiny, 'waarom hij een beetje in de zorgen zit.'

'Wat dàn?' vroeg Truus snibbig maar toch zachtjes.

'Ik hoor nog wel 's wat tegenwoordig,' fluisterde Tiny.

Willem voelde zich nu echt buitengesloten en liep naar de fruitautomaat terwijl De Bruin somber voor zich uitstaarde en daarna hooghartig een shagje rolde.

'Rook jij weer shag tegenwoordig?' vroeg Tiny.

De Bruin keek in de lucht en likte zijn vloeitje nat alsof Tiny niet bestond.

'Die man bij wie ik werk,' fluisterde Tiny, 'die had het over Jan z'n bouw. Heb ik het nou goed begrepen dat er wat mee is met Jan z'n werk?'

'Nee,' zei Truus hard, 'dat heb jij vast niet goed begrepen. Wat zei die man daar eigenlijk van,' fluisterde ze verder.

'Hij zei,' lispelde Tiny (en als Jan de Bruin toevallig een hond was geweest hadden ze hem tot ver achter de tap z'n oren zien spitsen), 'hij zei dat het stil kwam te liggen,' fluisterde ze verder. En toen weer luider: 'En dat het een hele mooie zaak was, een miljoenenzaak zei hij, echt waar Jan, dat zei hij door de telefoon.'

'Als jij je eigen eens op je bezigheden zou concentreren,

69

zou die man daar niet meer mee geholpen zijn?' vroeg De Bruin.

Willem kwam er nu ook weer bij zitten, het contact scheen weer op gang te zijn gekomen.

'Je hoeft je eigen er toch niet voor te schamen Jan. Ik zit toch ook even zonder werk, daar zit ik toch ook niet zo depressief over te doen, dat is toch zo we hebben toch allemaal wel 'ns wat hè Jantje.'

'Sodemieter op met je Jantje,' zei De Bruin en duwde Willem's arm die deze net even op zijn schouder had willen leggen vanwege het vertrouwelijke karakter van het medeleven ruw weg.

Sanders bestelde een pilsje voor zichzelf en zocht uit z'n ooghoeken contact met de vrouwen, maar die waren bezig.

'Wat ik ervan begreep,' vertelde Tiny achter haar hand, 'kan het zijn dat dat gebouw...' en onder de tap bezijden haar dijbeen wees ze met haar duim naar de grond.

Truus had er even moeite mee om haar mond weer dicht te krijgen.

'Je meent het,' zei Truus, 'oh God wat erg, nee dat vind ik erg.'

'Dus jouw Jan had voor hetzelfde geld even zo goed bedolven kunnen worden,' fluisterde Tiny en sloeg haar ogen erbij ten hemel. 'Hoe vind je dat, nou jij weer!'

Truus had er geen woorden voor.

'Hoor je dat Jan, hoor jij wat Tiny hier zegt,' vroeg Truus opeens.

'Nee,' zei De Bruin, 'had zij mij iets meegedeeld?

'Doe nou even niet zo eigenwijs De Bruin, jij had onder de aarde kunnen liggen, dat is wat Tiny hier mij net even duidelijk maakte.'

'Bewijzen,' vroeg De Bruin, 'had ze bewijzen? Dat zou ik van mijn kant graag even weten,' en hij schuifelde wat ongemakkelijk op zijn kruk.

70

'Die man van haar werk,' legde Sanders uit, 'die is rechter Jan, dat is niet zo maar een doctorandus. Die heeft gestudeerd voor instortingen. Dan had jij niks gehad aan die helm Jan,' zo probeerde Sanders het bewustwordingsproces te versnellen.

'Die helmen zijn tegen het spatten,' zei De Bruin hooghartig, 'die hebben niks met vallend puin te maken, helemaal niets daar zijn ze nooit voor bedoeld geweest.'

'Jij bent aan de dood ontsnapt Jan, besef dat nou,' riep Truus.

'Ik had mijn eigen wel gered,' zei De Bruin.

'Hij had zijn eigen wel gered,' blies Truus kwaad, 'nou geef mij dan nog maar een bessen. Schenk mijn vriendin hier er ook maar een in mop.'

'Ik stap eens op,' zei De Bruin.

'Hè, doe dat nou niet Jan,' riep Tiny gealarmeerd, 'je kan toch uitslapen morgen.'

'Ik wil mijn rust,' mompelde De Bruin, deed zijn windjack aan en verdween.

'Waar zou hij nou heen gaan?' vroeg Tiny bezorgd.

'Die is even een I-balk voor mij ophalen,' meende Sanders.

'Jij moet niet altijd zo lollig willen wezen,' vond Tiny, 'was liever meegegaan die man heeft hulp nodig.'

'Nou,' zei Truus zuinig.

'Niet soms?' vroeg Tiny, 'straks loopt ie onder de tram en dan zit je.'

'Nee,' schatte Truus, 'nee.'

'Hij wil het even in zijn eigen verwerken,' wist Sanders.

'Nou...' zei Truus, 'mijn Jan is niet zo op zijn eigen met problemen. Nee,' vervolgde ze, ' 't is meer dat ie ze vloeibaar maakt hè, dan verwerkt hij ze altijd even prettiger.'

'Ieder heeft zijn eigen wegen,' zei Sanders plechtig en daar klonken ze op.

Om de duizeligheid die zich van hem meester had gemaakt de baas te blijven gaf De Bruin vol gas en spurtte de Amstel af. 'Godverju,' riep hij telkens, 'Godverdommedeju,' alsof hij zijn eigen paardemachten op moest hitsen.

Op de rotonde waren de stoplichten uitgevallen, wat de verkeersdoorstroming altijd zeer ten goede komt. De Bruin kon daarom zonder zich in te hoeven houden de Weesperstraat op draaien waarbij hij zijn achterwielen licht voelde slippen hetgeen hem het gevoel gaf alsof hij enigszins op vleugels reed, vooral omdat zijn banden er zulke opgewonden kreten bij slaakten. De Bruin zag zijn luxe accessoires mooi oplichten. De snelheidsmeter kwam in het vakje dat hij niet zo vaak gebruikte en omdat hij daarnaar zat te kijken, viel het hem op dat het groene vlakje onder de getekende koplampjes niet zo verlicht was als hij gewend was. Dat was gauw verholpen. Hij deed de feestverlichting er bij aan en knipperde ermee zodra hij weer een weggebruiker voor z'n bumper had hangen. Blind wist hij de weg en zonder het paaltje op de hoek van de Blasiusstraat ook maar aan te tippen, sterker nog, zelfs zonder medeneming van het achterwiel van de op een haar na ontsnappende fietser kwam De Bruin met zijn door tweeënvijftig hengsten aangedreven strijdwagen met een felle klap tot stilstand. Maar daar had De Bruin zelf gelukkig geen weet van. Vrolijk rinkelden de lampen uit hun oogkassen en krakend nam het spatbord afscheid.

Terwijl er een eigenaardig straaltje bessensap over zijn voorhoofd liep kwam Hugo uit de restanten van zijn Mitsubitshi Turbo Lancia en strompelde naar de Opel Kadett toe.

'Hebt u zich bezeert?' fluisterde Hugo tegen de ruit waarachter De Bruin's geknakte kop over het in schapenvacht verpakte stuur hing.

'Het is mijn schuld, ik maak het helemaal met u in orde,' zei Hugo.

Bevend zat Ernest te wachten op het openen van de voordeur. Ernest had de kachel laag gezet en zijn deur naar het
trapportaal open gezet. Ernest had water gedronken en zijn
hoofd onder de kraan gehouden om toch vooral nuchter te
zijn als mevrouw De Bruin thuis zou komen. Tien, twintig
keer had men hem gevraagd of hij wist waar zij te vinden
zou zijn. Ernest had het de eerste keer niet geweten en ook de
laatste keer niet. Oom Hugo was meegenomen door de po-
litie en dat was voor Ernest reden tot grote dankbaarheid
geweest. Het was inmiddels twee uur, zou hij z'n vader en
Rosa bellen? Maar waarom zou hij, ze konden immers evenmin iets doen? Ernest had eigenlijk honger maar hij was zo
bang dat mevrouw De Bruin net binnen zou komen als hij
een boterham zat te eten zodat het erop zou lijken alsof voor
hem het leven gewoon doorging dat hij telkens van het voor-
nemen afzag. De flessen die oom Hugo achtereenvolgens geleegd had, had Ernest in de vuilnisbak gedaan en niet zoals
hij gewend was apart gezet voor de glasbak. Hoe jammer is
het toch dat mensen zoals Ernest weliswaar heel knap kunnen studeren maar dat dit in het dagelijks leven zelden tot
helderziendheid leidt terwijl men daar toch soms zo een sterke behoefte aan heeft. Ware dit wel zo geweest dan had Ernest immers geweten dat mevrouw De Bruin bij haar vriendin op de bank in de Bernardusstraat zo vreselijk zat te huilen en dat meneer Sanders zijn uiterste best deed om niet te
laten merken dat hij telkens gapen moest van de emotie wat
door mevrouw Sanders eventueel opgevat zou kunnen worden als harteloosheid terwijl het eenvoudig meneer Sanders'
zijn vertaling van verdriet was.

'Had ik maar niet...' zei Truus en Tiny sloeg alvast haar

arm om haar heen want als Truus begon met 'had ik maar niet' dan wist Tiny dat Truus weer een nieuwe huilbui kreeg. Meneer Sanders stond eens op want hij kreeg een geniale inval, hij ging koffie voor ze zetten. Dat bleek niet zo eenvoudig want Sanders had geen idee waar de koffie stond en ook niet waar de filters waren en daar kwam nog bij dat meneer Sanders waarachtig niet wist welke knop op Tiny's fornuis met welke vlam correspondeerde. Maar Sanders begreep maar al te goed dat het nu waarachtig niet het moment was waarop hij aandacht voor zijn problematiek op kon eisen en daarom was het zwoegen en experimenteren geblazen. Na een tijdje was het enige wat hem nog ontbrak de koffiefilter en omdat het water nog niet kookte had Sanders dus even de tijd om na te denken. Meteen toen hij de zuster van Truus de zaak binnen had zien stappen – hij had net een pilsje besteld – had Sanders geweten dat er iets loos was. Truus zèlf had nog niets in de gaten gehad nota bene, gek toch dacht meneer Sanders, dat ik dat toch beter aanvoelde. En omdat hij zo afgeleid werd door die gedachte zag hij ineens de koffiefilters staan naast de broodtrommel. Meneer Sanders nam niet eens de tijd om daar verbaasd over te staan hoewel hij daar alle reden toe had want hij had het plekje naast de broodtrommel al driemaal onderzocht op koffiefilters.

'Oh Jantje,' huilde Truus in de zitkamer. 'Hoe kan nou toch zo'n hufter tegen het verkeer inrijden. Oh God,' zei ze opeens 'als ik die man in m'n handen krijg dan bijt ik hem z'n strot af zo waar als ik hier zit ik slacht hem.'

'Anders ik wel,' zei Tiny solidair, 'er zijn geen woorden voor. Truus,' fluisterde ze vervolgens, 'jij moet tot kalmte zien te komen, zou je nou niet in ons bed gaan liggen hè dat je een beetje tot kalmte komt.'

'Ik heb net koffie gemaakt voor haar,' zo kwam Sanders teleurgesteld binnen.

Truus keek op.

'Dat moet ze nou niet hebben,' vond Tiny, 'want dan kan ze niet slapen en ze heeft rust nodig.'

'Ik wil wel koffie,' zei Truus.

'Zie je wel, ze wil koffie,' zei Sanders tevreden en ging terug naar de keuken terwijl Tiny zwijgend toegaf. Meneer Sanders zwoegde voort. Hij had de kopjes gevonden, de lepeltjes, de suiker en de koffiemelk. Hij ging nu gieten. De koffiefilter had hij zolang op het aanrecht gezet en terwijl hij nèt het eerste kopje onder handen had zag hij hoe zich uit de filter een straal koffie begon los te maken die zich weldra langs het Bruinzeelkastje naar de cocosmat zou bewegen. Dit gaf een korte werkonderbreking. Meneer Sanders zette de pot neer en vervoerde de druipende filter naar waar hij dacht dat de vuilnisemmer tijdens hun huwelijk gestaan had. Maar mevrouw Sanders was vijf jaar geleden, toen ze de nieuwe wasautomaat aanschafte, tot het inzicht gekomen om hem te verplaatsen naar het hoekje tussen de ijskast en de muur en zo kwam het dat meneer Sanders dus een tijdje druipend liep te zoeken.

Binnen waren ze de koffie net vergeten toen hij er mee aan kwam.

'Moet jij suiker, mop?' vroeg hij aan Truus. Deze knikte.

'Flinke schep moet ze hebben, hè,' preciseerde Tiny.

Truus knikte en meneer Sanders stootte, tong uit de mond, het lepeltje suiker tegen het kopje zodat er maar een half schepje op de plaats van bestemming terecht kwam.

'Nog maar eentje schat,' zei Tiny.

Het is altijd opmerkelijk hoe een verbazend goede invloed andermans ongeluk op het eigen huwelijk heeft, maar voor zulk soort overpeinzingen hadden mevrouw en meneer Sanders gelukkig geen tijd zodat ze ongestoord konden genieten van de verbetering in hun relatie.

'Koekje erbij, Truus wil jij een koekje erbij?' vroeg meneer Sanders.

'Nee ze moet geen koekje,' zei Tiny.

Maar meneer Sanders stond al in het bergmeubel te woelen zodat Truus en Tiny een beeldvullend uitzicht hadden op meneer Sanders' achterwerk. En toen zagen Truus en Tiny tegelijk dat Sanders uit zijn broek was geknapt en hoe het kwam dat moet een ander maar uitleggen maar Truus moest ineens zo lachen en Tiny ook, maar toch iets minder. Truus lag dubbel van het lachen om Sanders zijn broek. En toen Sanders zijn kop uit het bergmeubel had gehaald om te kunnen zien wat er ineens zo komiek was toen moest Truus nog dubbel zo hard lachen om z'n gezicht. Truus lachte eigenlijk nog veel meer dan ze zojuist gehuild had en Tiny deed mee maar dat was meer om haar vriendin gezelschap te houden. Omdat ze hem daardoor niet uit konden leggen wat er eigenlijk de aanleiding toe was moest die arme Sanders het helemaal zelf uitvinden en dat vormde weer een nieuwe aanleiding tot Truus haar slappe lach. Tiny had het een beetje opgegeven en samen met haar man keek ze wat bezorgd toe of Truus er wel uit zou komen. En dat was gelukkig zo.

Het was zeven uur in de ochtend geworden en nog steeds hield Ernest de wacht ofschoon hij wel enigszins het vermoeden had gekregen dat mevrouw De Bruin de eerste schok van beroering in haar bestaan ergens anders aan het verwerken moest zijn. Had hij zijn oom moeten verbieden, had hij de flessen moeten verbergen, had hij überhaupt niet met hem mee uit eten moeten gaan? Dàt was het, wist Ernest, dat was zíjn aandeel in deze historie. Altijd als Ernest uit gemakzucht iets naliet of juist deed, had het vreselijke gevolgen zo wist hij zich te herinneren. Daarom kon hij zo weinig aan het toeval overlaten. Hij nam zich voor om nòg nauwkeuriger te worden, hij kon het zich niet veroorloven het niet te zijn. Als eerste stap op deze weg haalde Ernest maar een minuscule papiersnipper van de grond die nog afkomstig was van oom Hugo's nieuwe pakje sigaretten. De asbakken had hij al geleegd, afgewassen en opgeborgen. Rillend dacht Ernest aan die keer dat hij... nee nog dichterbij was het. Hoe kon het nu toch gebeuren dat mevrouw De Winter juist naar die enkele bladzijden vroeg waaraan hij niet was toegekomen? En eindelijk dan werd Ernest er zich bewust van dat hij ondanks al die gebeurtenissen van vanavond, ja zelfs ondanks het feit dat hij er getuige van was geweest dat er drie doden (drie op één dag, het leek wel oorlog) gevallen waren, steeds met zijn hart bij die éne nabestaande bleef. Was het maar zo dat hij op Louise de Winter zat te wachten hier. Ernest zou er alles voor over hebben gehad als mevrouw De Bruin verwisseld kon worden voor haar. Is het niet jammer dat men met een hart overlopend van liefde en troost kan zitten wachten op iemand die niet komt. Terwijl men al deze mooie en warme gevoelens niet op kan brengen voor iemand die wel komt. Wie praat er nog over een gebrek aan tederheid in de moderne samenleving, het probleem is immers dat men voortdurend op de verkeerde plaatsen aanwezig is. Zo ongeveer zag Ernest's liedje van verlangen eruit op die kille winterochtend.

Hoe graag had Wil haar directe chef die ochtend op de hoogte gebracht van het feit dat er nog hoop voor hem was. Dat
de liefde weer was opgebloeid daar aan haar overkant en dat
Hugo als hij zich van verdere spontane opwellingen wist te
weerhouden zich in de toekomst wellicht de vrijheid van last,
ruggespraak en alimentatie heroveren kon. Popelend zat Wil
op hem te wachten. Heden verse koffie dacht ze en keek eens
op haar horloge. Het was acht uur, Wil begon de kantoortuin maar eens op te ruimen. Het was een zegen dat Hugo's werkster vandaag zou komen, zodat Hugo haar mee kon
nemen om behulpzaam te zijn bij het ordenen van de ravage
van gisteren.

Voor het naar huis gaan hadden Anton en zij de vorige
avond de losse planten verzameld en deze provisorisch on-
dergebracht in de drie bakken die Wiesjes kracht blijkbaar te
boven waren gegaan. Ook de schrijfmachine stond weer op
Belinda's bureau maar reageerde jammer genoeg niet meer
op de elektrische uitnodiging tot activiteit. Belinda mocht de
hare gebruiken vandaag zo besloot Wil, daarmee een droom
zo mooi als Belinda's laatste hooggehakte laarsjes verwoes-
tend. Maar Belinda zelf had daar nog geen weet van dus haar
wereld zag er nog rose uit tot op heden. Met de stoffer veegde Wil de bureaus schoon. Het hare was al helemaal op orde
omdat zij daar de koffie op had willen serveren. Even dacht
ze de sleutel in het slot te horen steken maar helaas, en ze
veegde zorgvuldig over Hugo's bureau. Bij Anton's tafel
aarzelde ze even, hoewel, gisteren had hij haar nog geholpen
met de planten. En zo zwoegde Wil voort als een pionier in
het nog jonge Israël. Weldra zag het er, waar het de tafel-
bladen aanging uit alsof er niets gebeurd was daar op dat se-

cretariaat van de Stichting tot beslechting van geschillen voor de bouwbedrijven in Nederland. Tenminste als men de planten even vergat en dat was moeilijk voor iemand als Wil die al drie jaar door het loof werd gefrustreerd in de directe communicatie met haar directe chef. Het zou op zich veel logischer geweest zijn als Wil onder vreugdekreten de laatste resten van de laurier zou hebben vernield die haar het zicht op Hugo zozeer bemoeilijkt had. Maar zo was Wil nu eenmaal niet. Als de gordijnen tussen hen ooit opzij geschoven zouden worden dan moest dat door Hugo zelf òf door haar gebeuren. En tot op heden was het duidelijk geweest dat de tijd daar nog niet rijp voor was.

'Goeiemorgen,' zei Anton, 'is Hugo er nog niet?'

Als er iets was dat Wil ergerde dan was het wel dat Anton haar baas met Hugo aansprak tijdens diens afwezigheid. Bovendien had Anton het nadeel bij zijn binnenkomst dat hij Hugo niet wàs en dat viel al helemaal niet goed te maken.

'Goeiemorgen' zei Belinda die vandaag een iets minder zware strijd met haar weerzin had behoeven te voeren omdat ze in de vooronderstelling leefde dat er heden niet getypt behoefde te worden.

'Anton,' zei Wil, 'help jij Belinda even om mijn schrijfmachine op haar bureau te zetten?' En zo zag Belinda zich verplicht haar eigen martelwerktuig te torsen en ze besloot zich wat extra lang te verfrissen.

Anton zette zich voor Wil's bureau in afwachting van de koffie: kribbig bracht Wil de kopjes en ging daarop zo driftig telefoneren met de glasman, de binnenhuishovenier en de vaste tapijtreiniger dat Anton zijn kopje maar opnam en ermee naar zijn tafel verhuisde. Zo probeerde Wil zich tot negen uur te amuseren die ochtend, toen pas besloot ze hem te bellen. Hugo woonde tenslotte alleen, er kon van alles gebeurd zijn. Misschien lag hij nu gewond in de keuken en had hij zelfs de werkster niet open kunnen doen. Een golf van

medelijden nam Wil in bezit, medelijden dat wonderlijk ge
noeg in woede veranderde toen hij niet thuis bleek. Nauwelijks had ze de hoorn op de haak gelegd of daar ging de deur
open. Wil was ontzet.

Hugo had een stevige pleister schuin over zijn voorhoofd,
een hagelwit toupetje op z'n kale hoofd en een arm in verband. Eerst dacht Wil zelfs dat Hugo een arm miste omdat
de mouw van zijn jas er zo onbewoond bij hing.

'Wat hebt u nu toch gedaan?'

Zwijgend liet Hugo zich neer aan Wil's bureau zodat Wil
net een maatschappelijk werkster leek en Hugo een meneer
die hulp vroeg omdat alles hem tegen zat. Dat was trouwens
zo, laten we wel wezen.

' 'n Ongelukje,' legde Hugo uit.

Belinda kwam er ook bij staan, ze was op de helft met
touperen zodat het leek of ze halfzijdig met het lichtnet in
aanraking was gekomen.

'Ik was even bij m'n neefje op bezoek geweest en ik rij
die straat uit en toen, op de hoek, kwam er een idioot aangevlogen.'

'En toen en toen,' wilde Wil weten.

'Nou ja,' legde Hugo uit.

'Oh God,' zei Wil. 'Nou dat is dan nòg goed afgelopen,'
en ze monsterde Hugo voor de tweede keer in vierentwintig
uur op beschadigingen en wéér viel het haar mee.

'Er is ook nog góéd nieuws voor u,' zo probeerde Wil hem
op te vrolijken en fluisterend vertelde ze dan eindelijk het resultaat van haar inspanningen. Anton en Belinda volgden
gespannen haar verslag, ongehinderd door het gewas. Want
er is heel veel aan te merken op een kantoortuin maar het is
onjuist te denken dat die plantenweelde geen enkele privacy
biedt.

'Godskolere,' zo stampte Tiny zich de vermoeidheid na die inspannende nacht uit hoofd en voeten. En ze drukte nogmaals op Hugo's bel. Het was kwart voor tien. 'Ik ben mooi van de regen in de drup geraakt,' wist Tiny. Bij haar vorige adres had ze tenminste de sleutel als ze nog lagen te hoereren. En Tiny's nieuwe werkgever kreeg zijn eerste gele kaart van Tiny. Ze keek eens om zich heen. Wat had die man voor wagen? Tiny posteerde zich in Hugo's portiek, kraag omhoog, tas tegen haar buik geklemd. Regelmatig drukte ze op de bel, haalde huiverend haar schouders op, stampte eens met haar turquoise laarzen en bonsde met haar vuist op de deur. De tijd verstreek. Net begon er zich enige twijfel van haar meester te maken omtrent het feit of ze wel met de bedrust van haar nieuwe adres te maken had of achter zich hoorde Mevrouw Sanders: 'Wilt u misschien met mij meegaan?'

Wil kwam mevrouw Sanders even ophalen.

'Neemt u me niet kwalijk mevrouw Sanders,' zei Hugo, 'maar U ziet...'

'Ja dat zie ik,' zei Tiny, 'wat erg! Met de wagen? Ook al, ook al, vannacht, een uurtje of twaalf zal het geweest zijn de man van mijn vriendin... Dood, nou vraag ik je, dood in tijd van ja en nee. Komt daar een idioot tegen het verkeer de Blasiusstraat uitgezet. Lazarus! Voor mij moesten ze zo iemand hangen vindt u niet?' vroeg Tiny, 'zo iemand kan niet erg genoeg gestraft worden, daar zijn eenvoudig geen straffen voor te bedenken en nou u ook al.' Tiny scheen even afgeleid. Hugo knikte. Ze keek eens om zich heen.

'Feestje zeker.'

Ze knikten.

'Wij zijn de hele nacht opgebleven bij mijn vriendin,' zei Tiny terwijl ze haar schort voor bond. 'Dan zal ik eerst maar 'ns zuigen,' vond ze.

Kort daarna stond de glasman voor de deur en toen de

plantenman ook nog verscheen en de reparateur van de IBM toen kon Wil de koffie haast niet meer aanslepen.

Ze leken wel het levendigste kantoor van Amsterdam geworden te zijn.

16 *Et requiescamus in pace*

Voor de tweede maal in nog geen maand betraden mevrouw De Bruin en meneer en mevrouw Sanders een begraafplaats. Het was beduidend kouder dan de vorige keer. Ook Truus' dochter Monica en haar verloofde waren er. Terwijl haar oudste dochter Veronica koppig als ze was nu zeker be-traand in haar doorzonwoning in Venlo aan haar zat te denken. En dat allemaal omdat meneer De Bruin nooit met haar man had willen praten omdat hij rooms was. De Kleine Jan, Truus' enige zoon was goddank wel aanwezig om zijn moeder te steunen. Dat was maar goed ook want Truus kromp ineen toen ze de kist zag en Monica en Jan moesten haar haast naar de eerste rij toe dragen, zodat Truus hele-maal niet zag dat er een krans van zijn werk op de kist lag en ook niet dat hun stamcafé gelapt had en dat er aan dat prachtige anjerboeket een lint hing met 'Rust zacht Jan, je vrienden' erop. En ook niet dat Desiree van achter de tap vandaan was gekomen en dat Sjef met z'n hoed in z'n hand in een hoekje stond te beven en ga zo maar door.

Door de luidspreker klonk Jan's lievelingslied: Waar-heen, Waahahaar heen voert onze weg. Waahaarheen? En daardoor kregen ze het allemáál te kwaad. Vooral Tiny die niet zo erg muzikaal was, het dus meer van de tekst moest hebben en daardoor eens te meer met het probleem gecon-fronteerd werd.

Truus klemde haar kaken op elkaar waardoor haar ver-driet een geluidloze uitweg vond door haar neus en haar ogen hoewel ze heel af en toe piep-piep leek te zeggen. Mo-nica klemde zich aan haar moeder vast terwijl Monica's an-dere hand rust zocht op het dijbeen van haar vriend. Deze wist niet zo goed wat hij met die hand aan moest dus liet hij hem maar zo'n beetje liggen en deed alsof hij er niets mee te maken had door zijn armen over elkaar te slaan en over z'n armen heen naar die hand te kijken.

'Heden zijn wij bijeen om een harde werker en een goed mens te begraven,' zei de baas van De Bruin die ook had kunnen komen nu het werk toch stil was komen te liggen. 'Jan stond altijd voor zijn kameraden klaar.' (Hier kreeg Truus het echt te kwaad en moest zich even met Monica verwijderen.) 'Wij denken aan de nabestaanden. Verder denken wij ook aan allen die hier niet aanwezig konden zijn omdat zij ziek zijn of op andere wijze verhinderd,' vervolgde de spreker. En om zichzelf een beetje af te leiden vroeg Tiny zich af wie dat dan wel zijn mochten. Die man van beneden misschien, de zoon van haar vorige adres? Ze keek eens om en waarachtig daar zat ie. Toch lief van 'm dat hij gekomen was. Nee achteraf beschouwd was het nog niet eens zo'n slecht adres geweest. Tiny knipoogde hem toe en Ernest glimlachte verlegen.

'Het verkeer heeft weer een slachtoffer geëist,' zei de spreker, 'in de bloei van Jan zijn leven. Ik weet natuurlijk niet wat voor opvatting de familie heeft maar ik zou willen zeggen: het ga je goed Jan. Ik dank u!'

Nu zette de tape Land of Hope and Glory in maar gelukkig kwam dat niet zo hard aan als het vorige lied omdat ze allemaal in de rij moesten gaan staan achter Truus en Monica aan. En gelukkig was het zo vreselijk koud buiten dat dat ook behoorlijk veel aandacht opeiste.

Truus wist waarachtig niet wie ze allemaal gekust had of de hand had geschud maar ze was maar al te blij dat die kraai vond dat ze op moesten schieten omdat de volgende was aangekomen. En Tiny liep Ernest nog achterna om hem te vragen met hen mee te rijden. Maar Ernest was al verdwenen naar de bushalte waarachter hij zich schuil hield toen hij die auto vol met verdriet en zorgen langs zag komen.

En al klappertandend zette Ernest zijn kraag op. Het leek alsof men voor de begraafplaats een omgeving had bedacht die al door de dood was voorgemaaid. Geen boom, geen huis om de oostenwind te keren. Ernest dacht aan mevrouw De Winter, misschien stond ze nu tegelijk met hem aan de andere kant van de stad? Ernest had in de krant gelezen dat de kinderen van professor De Winter omgekomen waren tijdens het bergklimmen. Ernest had op zijn faculteit gehoord hoe dom die kinderen wel hadden gedaan. Maar Ernest had niet gelezen waar ze begraven zouden worden en Ernest besloot zodra hij thuis zou zijn voor de vijfde maal te proberen om haar een brief te schrijven waarin staan zou hoezeer hij met haar meeleefde. Néé hoeveel hij van haar hield, daarom was die brief zo moeilijk.

Zoals iedere dag schafte Ernest zich het *Handelsblad* aan zodra hij de bewoonde wereld bereikt had. Het zou immers zo kunnen zijn dat professor De Winter bij het publiceren van de advertenties zijn *Volkskrant* over het hoofd had gezien?

Zodra Ernest zijn espresso besteld had sloeg hij de overlijdenspagina op en waarachtig: Xander en Johannes de Winter, noodlottig ongeval. Dinsdag 27 december, de Oosterbegraafplaats half elf. Ernest voelde dat hij klamme handen kreeg van de spanning die de mededeling teweegbracht. Maar er was nog iets. Hij zou de Kerstvakantie van Rosa en zijn vader moeten bederven door tweede kerstdag te vertrekken. Hij wist hoe zij zich erop verheugd hadden en hij wist ook dat hij het niet over zijn lippen zou kunnen krijgen om hun te vertellen waarom hij zo nodig vertrekken moest. Een of andere hoogleraar, nooit eerder gezien, en diens domme kinderen en maar één keer tentamen bij gedaan én dan nog een keuzevak ook en dàn niet eens zijn eigen vakgroep en zèlfs niet zijn eigen faculteit? Dat ruikt naar uitsloverij zou zijn vader weten, je kende die ezels niet eens. Ze waren tenslotte voor hun plezier uit dan moeten ze het zelf maar weten dat risico schijnt juist het leuke van die sport te zijn zou Rosa zeker vol afgrijzen verklaren.

Ernest zat er behoorlijk mee in, hoewel hij de uitslag al wist: Al zouden ze... kortom hij moest erheen.

Het was verbazend hoeveel mensen Ernest's aandacht vroegen. Oom Hugo schreef dat hij vrijdag iets vroeger weg kon van kantoor en of Ernest meeging met dezelfde trein. En mevrouw De Bruin's dochter kwam vragen of Ernest even boven kwam. En mevrouw Sanders was juist aan het vertellen wat voor wilde feestjes haar nieuwe werkgever wel op z'n kantoor hield terwijl Ernest met afgrijzen aan zijn oom Hugo dacht die zoiets blijkbaar organiseerde nadat hij...

Ernest durfde de gedachte zelfs niet af te maken zo bang was hij zich te zullen verspreken. Terwijl hij in Truus' volle kamer met zijn koffielepeltje probeerde een roomsoes te eten droomde Ernest over de Oosterbegraafplaats. En ja, het moet gezegd, hij droomde met Louise de Winter achter die limousine aan te lopen. Zijn arm beschermend om haar schouders geslagen hield hij de wind voor haar tegen.

'Moet u nog koffie?' vroeg Tiny.

'Ja graag,' zei Ernest zonder erbij na te denken.

'Goed dat er nog een man in huis is,' zei Tiny en knikte naar Ernest, 'dan is ze tenminste niet helemaal alleen als er wat is.'

'Ja natuurlijk,' zei Ernest.

' 't Is wat hè,' zei Tiny, 'zo ben je er, zo ben je weg.'

'Ja,' vond Ernest.

'Daar denk je zo niet bij ná,' vond Tiny.

'Nee,' zei Ernest en keek naar Jan de Bruin junior en nu zag hij pas hoezeer deze op z'n vader leek, zoals hij daar zat, wijdbeens met een been over de leuning van zijn vaders stoel. En toen hij Jan hoorde zeggen: 'Ik red m'n eigen wel,' en daarna z'n hoofd zo schuin naar boven zag bewegen toen dacht Ernest even dat hij droomde.

Op zijn pantoffels stond Leo – handen in de zakken – uit het raam te kijken. Leo zag een berg. Daarna wipte hij even op zijn tenen omhoog en dan zag hij over de rand van de balustrade in de diepte een bruisende beek. En toen hij daarna weer op zijn hielen terecht kwam toen was de beek weg. Zijn blik streek er nu overheen en hij zag een sterk hellende bergweide die, naarmate hij meer opwaarts keek, overging in duizenden kerstbomen. Zo stond Leo wel tien minuten op en neer wippend van de natuur te genieten.

'Moet er niet een blok hout op de kachel?' vroeg Rosa.

Dat kwam goed uit die vraag, want Leo was net klaar met de enige lichaamsoefening die hij zich vandaag zou veroorloven.

'Waar is Ernest?' vroeg Leo.

'Even een wandelingetje maken met Hugo. Zeg,' vroeg Rosa toen, 'ik vind hem zo onrustig heb jij daar iets van gemerkt of verbeeld ik me dat nu?'

'Nee,' zei Leo, 'niets van gemerkt.'

'Hij blijft wel lang weg,' zei Roos terwijl ze zich bukte om een blik bruine bonen uit het aanrechtkastje te halen.

'Welnee,' zei Leo, terwijl hij met dichtgeknepen ogen vanwege de rook een houtblok op het smeulende vuur gooide en vervolgens verwoede pogingen deed om het kacheldeurtje weer dicht te krijgen. Roos zei nog iets.

'Wat zeg je?' vroeg Leo.

'Ik ga egaliseren.'

'Dat kan niet nu,' vond Leo, 'want de grond is bevroren.'

'Welnee,' vond Roos en verdween.

Schep in de hand, laarzen aan stond Rosa achter hun huis. De gleuf die de graafmachine had aangebracht was volge-

stort met stenen en naast die blauwgrijze wonderlijk ge-
vormde leisteen-plakjes lag de uitgegraven aarde als de lange
scherpe rand van een oneindig grote zelfgemaakte appeltaart
die niet had willen rijzen.

Die aarde moet verspreid worden vond Rosa zodat de in-
grepen welke de mens in de natuur aanbrengt teneinde droge
voeten te houden in elk geval voor God vanuit de hemel niet
zo in het oog springend zouden zijn.

Rosa wist de boer boven aan de berg aan haar zijde in
deze. Zelf zou ze zeker gedacht hebben dat de drainagekracht
van haar steengroeve teniet zou zijn gedaan wanneer men
deze met aarde zou bedekken. Het was ook merkwaardig
hoezeer deze overweldigende natuur, slechts doorsneden
door een aantal snelwegen en hoogspanningskabels een serene toestand in Rosa teweeg kon brengen. Geen wonder dat
Rosa geen grote vorderingen maakte met haar zware schep,
er viel veel te zien en bovendien was de grond zoals te verwachten was bevroren. Rosa was echter niet van plan zich
door de natuur de wet te laten stellen. En met de hoog- en
overmoed van een geboren stedeling meende Rosa haar
probleem spoedig op te lossen door van gereedschap te verwisselen. Rosa schuifelde langs het voetpad naar beneden,
opende de deur van de garage, wierp een blik in de lege
brievenbus en wipte de hakker van zijn handige ophang-
spijkertjes. Terug op de plaats des onheils merkte Rosa dat
de aarde zich wat beter liet bedwingen. Hier en daar liet een
klomp kleigrond los ofschoon het geluid van haar gereedschap haar niet helemaal beviel. Het tinkelde wat kerst-
achtig en leek ook lang niet voldoende gebruik te maken van
de eigen zwaartekracht. Bovendien schampte het hier en
daar af. Om dit probleem rustig onder ogen te kunnen zien
bukte Rosa zich eens en bestudeerde de materie. Toen ze het
toch wat te koud begon te krijgen besloot ze de hooivork met
de drie tanden maar eens op te halen omdat daarmee de los-

gevochten kleibrokken zo handig harkend verspreid zouden kunnen worden, zo meende ze.

Omdat er nog maar een minimum aan grondstof was om aan het egaliseren toe te komen, greep Rosa terug naar haar tweede instrument, het merkwaardige hakbijltje. Hiervan begonnen zich de bezwaren nog sterker op te dringen dan bij het vorige gebruik. En het leek Rosa toe dat het eigenlijk de houweel was die vanaf het begin van haar onderneming glimlachend had toegezien hoe zij keer op keer zijn collegae verkozen had boven hem, het instrument geschapen voor deze problemen.

Teruggekomen wist Rosa zich al spoedig te herinneren waarom zij de houweel nog niet had aangegrepen. Het bezwaar eraan verbonden was en bleef het gewicht ervan. Ofschoon de kloven welke men er in die eigenzinnige aarde mee aanbracht tot tevredenheid stemden was de investering aan kracht en behendigheid dermate groot dat Rosa besloot toch het minder geëigende maar niettemin zeer bruikbare hakschepje weer ter hand te nemen. Bij het verwisselen van gereedschap stapte ze even op de puntige drietand zodat de steel ervan vervelend tegen haar scheenbeen terecht kwam. Maar daarom niet getreurd vond ze, het werk ging voor. Rosa dartelde nog even op haar taartrand heen en weer om het handigste aangrijpingspunt te zoeken en zag toen dat de boer van boven leunend op een van zijn weilandpalen in de heldere winterzon stond toe te kijken.

'Goedemiddag,' zei de boer.

'Goedemiddag,' zei Rosa verlegen.

'Dat gaat zo niet,' zei de boer, 'dat moet in 't voorjaar, de grond is bevroren.'

'Ja dat merk ik,' zei Roos en daarna volgde een pauze waarin de man de tijd nam om Rosa nader te bestuderen.

Rosa, intermenselijke zwijgpauzes ontwend, vond dat er iets gezegd moest worden: 'Mijn man zei het ook al maar ik wilde het even proberen.' Rosa had zo het vermoeden dat de emancipatoire opvatting die achter haar woorden schuilging de boer welgevallig zou zijn. Rosa had evenwel niet helemaal in kaart dat haar bevrijding van geestelijke kneveling zich nog niet tot de landman had uitgestrekt. Geen wonder overigens want Rosa was haar gereedschap aan het oprapen en de boer zag sereen toe hoe Rosa zich eerst de houweel en de hakbijl over de schouder legde en vervolgens iets te klein van hand bleek te zijn om de twee overige stelen te kunnen omvatten. De boer zette zijn pet af, krabde zich op het hoofd en schikte zijn pet opnieuw. Rosa had inmiddels drie werktuigen over de schouder en stond als Neptunus, de drietand hemelwaarts in de hand, klaar om afscheid te nemen.

'De grond,' zei de boer en wees op de taartrand, 'is niet best.'

Dat viel Rosa een beetje tegen want zij dacht met een landstreek te doen te hebben waar de groeikracht der aarde onovertroffen was.

'Dat komt,' zei de boer, 'doordat ze verkeerd gegraven hebben, die hebben dat omgegooid.'

Dat begreep Roos niet helemaal maar haar rechterschouder begon wat te lijden onder de vracht.

'Dat is niks dan stenen,' zei de boer, 'de goede grond hebben ze eronder gedouwd. Dat komt omdat die met die tractor dat was er een van de bouw en die kan dat niet schelen hè.'

'Oh,' zei Rosa.

'Dat is hier met al die huizen gebeurd,' zei de boer en wees op Rosa's twintig nieuwe buren waarvan zeven onverkocht.

'Oh,' zei Rosa.

'Ik heb hier dat gras een beetje weggehaald,' zei de boer, 'omdat dat anders tegen het schrikdraad aankomt en dan geeft dat kortsluiting. Ik laat dat aanstaan,' zei de boer, 'voor de pony.'

'Moet die dan niet naar binnen?' vroeg Rosa.

'Dat wil die pony niet.'

Als men dieren voldoende kwelt dan schijnen ze het vertrouwen in betere tijden te verliezen zo had Rosa gelezen. Zij schenen dan, net als mensen overigens (deze toevoeging was van haarzelf) hun interesse voor ontsnappingskansen te verliezen. Dat dacht Rosa allemaal en de wonderlijke man leek rustig te wachten tot dat ze was uitgedacht.

'Brood,' zei de boer, 'moet hij niet hebben.'

Schuldbewust dacht Rosa aan haar goede gaven.

'Want dan kan ik hem helemaal niet de wei uit krijgen èn hij is te dik. Die is zo lui die pony van mij,' vervolgde hij, 'die werkt niet meer. Als ik de tijd heb neem ik hem mee om hout te halen maar dat gaat niet goed, die wil niet, die is verwend.'

Zo had Rosa het nog niet bekeken. Rosa had zelfs vanuit hun warme comfortabele onderkomen de blik van het paardje vermeden uit pure angst in tranen te geraken bij het zien van zoveel onrecht. Niettemin had de koude zich nu zozeer van Rosa meester gemaakt dat zich een krimpproces leek aan te kondigen dat Rosa's blaas onder grote druk zette. Ze was dat alarmerende gevoel een tijdje de baas gebleven door van het ene been op het andere te gaan staan.

'U moet eens naar binnen,' zei de boer en Rosa zou nooit weten wat hem er zo opeens toe bracht om die verlossende woorden te spreken.

Inmiddels dwaalden Hugo en Ernest in de natuur. Na lang aanhouden had Ernest toegegeven, ook al omdat Rosa hem vroeg: doe het even lieverd papa wordt zo nerveus van hem. Doe dan de wandeling van de balletjes die is lang niet zo erg als die van de driehoekjes. Dat had zich afgespeeld tijdens Hugo's toiletgang. Het viel niet mee in conclaaf te gaan in houten huizen. Men liep als het ware van kamer tot kamer in evenzovele luidsprekers. Toen Ernest bemerkte dat Rosa voor zichzelf andere plannen bleek te hebben en blijkbaar bedoeld had dat alleen hij zijn vaders gemoedsrust moest behoeden bleek Hugo al weer in de kamer te staan dus veel vrijheid van opinievorming was er niet. Anderzijds had Ernest zelf ook nog het een en ander in petto om de kerst te bederven dus trok hij zwijgend zijn laarzen aan en zag toe hoe Hugo zich in de zitkamer in zijn bergschoenen wrong als ware het een gletscherbestijging die hun te wachten stond.

'Tot straks, veel plezier,' zei Rosa vrolijk en maakte op Ernest's grimas een beschaamd gebaar. Enigszins getroost nam Ernest de leiding. En Hugo had het hart niet in z'n lijf om Ernest tot een lager tempo te manen.

Toch leek Ernest onder het gaan enig plezier aan zijn opoffering te beleven. Op de Noordhelling waarlangs de balletjes voerden lag sneeuw en het bos was zo onbetreden dat Ernest het gevoel had in een wat ouderwetse ansichtkaart te lopen. De foto's van nu waren te blauw constateerde hij. De werkelijkheid was rose dat komt niet dikwijls voor. Hier en daar vloog een buizerd had z'n vader verteld dus die zag hij nu dan eindelijk. Ongemerkt was Ernest harder gaan lopen en toen hij omkeek zag hij Hugo vijftig meter achter zich nèt de hoek omkomen. De natuur stemde Ernest wat milder en hij keek eens om zich heen.

'Tjonge jonge,' zei Hugo, 'is hier ergens een etablissement?'

'Straks,' wist Ernest 'komt er een café.'

'Duurt het nog lang?'

'Nee,' zei Ernest en liep door. Tot zijn vreugde merkte hij de op de bomen geschilderde balletjes en kruisjes nauwelijks meer nodig te hebben. Dat gaf hem iets meer het gevoel dat hij niet in het Vondelpark of op de Floriade liep. Waar zou hij het smalle pad dan toch aan herkennen? Straks, als ze over de bergkam waren dan zouden ze daar in de diepte het spiegelgladde stuwmeer zien en de rookgepluimde huizen als een kleumend tentenkamp er om heen. Ernest zou er bijna mevrouw De Winter door vergeten. Het prettige van zo'n wandeling was wel dat men erop rekenen mocht zo ongeveer dezelfde hindernissen tegen te komen elke keer. En zo begon Ernest aan de afdaling waarvan hij vrijwel elk uitzicht en elke tournure kende. Soepel stapte Ernest steen op steen. Ofschoon hij zijn lichamelijk welzijn altijd als een vanzelfsprekendheid had gezien viel het hem nu toch op dat er een zeker plezier aan te ontlenen viel.

'Ernest,' klonk het achter hem, 'weet je zeker dat er geen ander pad is.' Ernest keek op. Daar stond Hugo en klampte zich vast aan een geel uitzicht-bankje.

'Nee,' zei Ernest. 'Wat is er?' en hij liep terug naar waar zijn oom zich, een hand aan het bankje, het angstzweet van het gezicht afveegde.

' 't Is zo diep,' zei Hugo.

Ernest keek eens naar beneden.

'Je zult het wel kinderachtig vinden, maar dat durf ik niet.'

'Ook niet als ik achter u loop?' vroeg Ernest.

'Nee ook niet,' zei Hugo, 'want ik heb hoogtevrees, dat gat dat zuigt.'

Ernest keek weer naar beneden.

'Er staan toch bomen die houden u toch tegen als u vallen zou.'

'Helpt niet,' wist Hugo.

'Ik weet geen beter pad, maar we kunnen er een zoeken.'

Opgelucht keerde Hugo de afgrond de rug toe en kroop weer richting hoogvlakte. De tocht zou nu werkelijk gevaar op gaan leveren wist Ernest, glijdend van boom tot boom. Hugo nam hier en daar wat takken mee naar beneden als souvenir en gleed soms vijf à tien meter door. Maar Ernest waakte ervoor dat zijn oom het stuwmeer in de diepte niet meer te zien kreeg en steeds de suggestie behouden kon eigenlijk in de Spiegelstraat te lopen, zij het dat die vrijwel verticaal stond. Op zijn mooie corduroy broek liet Hugo zich tenslotte voeren door de zwaartekracht. Zijn leren handschoen was hij al kwijtgeraakt en er tekende zich een steeds groter wordende natte plek op het stemmige mosgroen van zijn jack af.

'Gaat het?' vroeg Ernest af en toe en zag dat oom Hugo eigenlijk sneeuw aan het scheppen was die hij al glijdend verzamelde in zijn jack. Na een uur zwoegen kwam Hugo met een smak tegen een paaltje met wandelaarsaanwijzingen terecht.

'Tjonge jonge,' zei Hugo, 'dat viel niet mee.'

Ernest klopte zijn oom wat af en voor zover de sneeuw nog niet gesmolten was kwam deze tussen zijn kleren vandaan. Zodra ze weer op het reguliere pad liepen voelde Hugo het ijskoude water langs zijn benen lopen maar het leek niet kies om maatregelen te nemen.

In het duistere café gezeten naast de grote houtkachel aan een iel formicatafeltje, begon er damp van Hugo af te komen. Ernest die eerst nog dacht dat men een ketel water op had gezet keek verwonderd toe hoe Hugo in rook leek op te gaan.

'Hebt u het niet koud?' vroeg Ernest.

'Niks hoor,' zei Hugo flink.

Thuisgekomen, Leo haalde hen even op, het was nog geen drie kilometer, kroop Hugo onder de wol.

'Beter voorkomen dan genezen,' zei hij. En hij sliep meteen in van de teleurstelling. Hoe had hij zich er niet op verheugd om samen met Ernest een bescheiden kerstdiner te genieten in een van die landelijke en gemoedelijke onderkomens die de streek zo rijk was. Wat hij als een korte onaangename prelude tot het werkelijke kerstgebeuren had gezien

95

was nu de hoofdschotel geworden en Hugo verdacht er vóór het inslapen Rosa weer van dit afschuwwekkende evenement voor hem in elkaar gestoken te hebben. Nee Hugo wilde voorlopig niets meer te maken hebben met deze afschuwelijke wereld.

Het was negen uur en dus nacht geworden op hun berg. Hugo sliep nog steeds. Ernest had gekookt. Ernest had afgewassen, piano gespeeld, koffie gezet, gestudeerd – zij het niet meer dan een kwartier – en toen stelde hij voor een wandeling te gaan maken. Leo en Rosa keken elkaar geschrokken aan. Rosa liep nog naar het raam, tilde het gordijn op en zag een blauwwitte maan, een heldere sterrenhemel, de ijspegels aan hun dakrand en de glinsterende laag op de balustrade. De kachel knapperde behaaglijk.

'Nee,' zei Roos 'dat is me echt te koud.'

Ernest zuchtte, glühwein dan? Dat was een beter voorstel vond Leo en Ernest was al bezig. Zwijgend lazen Leo en Rosa verder, blij niet te hoeven en wat Rosa betreft enigszins ongerust: zou hij zich amuseren?

'Ernest, amuseer je je een beetje?' vroeg Rosa. En zonder zijn antwoord af te wachten vervolgde ze fluisterend: 'Heeft Hugo jou nog verteld wanneer hij voor moet komen?'

Ernest haalde zijn schouders op.

'Hoe lang zou hij krijgen voor zoiets?'

Leo legde zijn boek opzij: 'Dat hangt er helemaal vanaf.'

'Moeten we het er niet eens met hem over hebben,' fluisterde Roos verder, 'het moet hem toch dwarszitten? Heb jij het er onderweg nog met hem over gehad?'

'Nee,' siste Ernest, 'ik had wel wat anders te doen,' en maakte er wat gebaren bij.

'Toch snap ik niet waarom je hem zo volgeladen hebt die avond,' fluisterde Rosa streng. Ze ging er echt voor zitten om hem de les te lezen.

'Volgeladen,' zei Ernest verontwaardigd, 'hij wou niet weg!'

'Zachtjes,' zei Roos en legde haar vinger op de mond. 'Hoe kàn dat nou, hij wou niet weg, wat 'n onzin.'

'Hij is verliefd,' fluisterde Ernest terug.

Leo keek hem aan alsof hij plotseling houtworm constateerde in hun nieuwe buitenhuisje.

'Je meent het,' siste Roos.

'Wat dacht je,' fluisterde Ernest, 'dat hij met alle geweld naar jùllie wilde komen met Kerst?'

'Dat dàcht ik,' zei Rosa beteuterd.

'Verkeerd gedacht,' vond Ernest, haalde de steelpan en schonk zich nog eens bij, 'hij wilde naar mij!'

'Zeg,' vond Leo, 'ga je niet wat ver?'

' 't Is pas m'n tweede glas,' zei Ernest.

'Nee met Hugo bedoel ik,' fluisterde Leo.

'Ik doe niets,' zei Ernest.

'Behalve fantaseren dan,' vond zijn vader, 'die man heeft vijf kinderen.'

'Nou èn,' zei Ernest en ging weer naar de steelpan op zoek.

'Hè geef mij ook wat,' zei Roos opeens hardop en hield haar glas bij.

'Ù?' vroeg Ernest.

'Doe maar,' zei Leo. 'Je kletst,' vervolgde hij zachtjes.

'Wedden?' vroeg Ernest.

'Om zoiets wed je niet,' wist Rosa.

'Dan niet,' zei Ernest.

Ze zwegen.

'Dat is veel te erg om te wedden,' fluisterde Roos.

'Had ik het niet gedacht,' vond Leo, 'dat het een flikker was.'

'Als hij er een is,' zo bracht Rosa het vraagteken weer fluisterend naar voren.

'Is hij,' wist Ernest en gebaarde naar de slaapkamer, 'wil je die brief dan eens lezen?'

'Nee laat maar zitten,' zei Leo huiverend.

'Hij vindt dat ik lieve handen heb,' fluisterde Ernest.

'Dan is hij gek,' wist Leo.

'Dat hoeft niet,' wierp Rosa tegen. 'God wat afschuwelijk allemaal en daar kom je nou mee aan.'

'Hoezo,' wilde Ernest weten.

'Laat maar,' zei Rosa.

'Zal ik er wat bijmaken?' vroeg Ernest en op hun zwijgen stond hij op, vulde de steelpan bij en zette deze op een van de elektrische pitten.

'Dan zit hij nog erger in de puree dan we dachten,' fluisterde Roos en toen tot Ernest: 'Je hebt echt niet gevraagd of hij binnenkwam?'

'Weet je dat zeker?' Leo keek zijn zoon ongerust aan.

'Ik ga toch niet aan oom Hugo vragen of hij eerst mijn whisky op wil drinken dan de laatste cognac en dàn nog eens al mijn wijn,' Ernest gebaarde wanhopig om het gebrek aan geluidsvolume wat te compenseren.

En Leo knikte en slaakte een zucht van verlichting.

En toen konden ze eindelijk weer hardop praten. Ernest had nog een verrassing op deze vredige kerstavond. Hij wilde naar huis want hij kon hier niet werken omdat Rosa steeds aan de eettafel zat te schrijven zodat hij er zijn papieren niet op uit kon spreiden. Rosa en Leo, hoe teleurgesteld ook, hielden zich groot. Het was zíjn vakantie en Ernest mocht die doorbrengen waar Ernest dat wilde. En Ernest voelde zich daardoor veel ongelukkiger dan wanneer zijn vader zou zijn uitgevaren over de grote moeite waarmee Rosa de haas onder de knie had gekregen op dat ellendige elektrische fornuis en over de vuurpijlen die hij voor Oud en Nieuw gekocht had, voor Ernest uiteraard. Maar ja daar waren Rosa en haar man nu eenmaal te verstandig voor en elke Kerstavond heeft tenslotte zijn eigen kruis. Daarom had Leo ook de *Mattheus Passion* op tape gezet want Leo werd altijd een beetje onpasselijk van de blijdschap rond het kribje. Dit gaf Ernest enige rust ofschoon hij het af en toe tussen de aria's door zo warm kreeg dat hij het balkon op ging om de thermometer te bekijken en vervolgens naar de kachel liep en onder protest van zijn vader het smeulend evenwicht verbrak ten einde de temperatuur op saunahoogte te brengen. Tot slot van deze verdrietige avond begon het zure van de wijn het kalmerende effect ervan te overtreffen. En opnieuw moest Ernest afscheid van zijn vrachtje nemen. Nu echter onder beduidend ingewikkelder omstandigheden. Zijn vaders nieuwe aanwinst noopte Ernest tot driemaal toe om door te trekken.

'Last van je ingewanden?' vroeg Rosa bezorgd.

Diep teleurgesteld zat ook Hugo de volgende dag aan het ontbijt. Hij had in een ruk doorgeslapen en was nu ook geestelijk voorbereid op lichamelijke ontberingen. Stilletjes had Hugo die morgen met zijn scheerspiegel zijn achterwerk geïnspecteerd en ja wel hoor: het had het aanzien van een zwaar bewolkte regenhemel gekregen om maar eens een beschrijving aan de natuur te ontlenen. Lichtelijk gealarmeerd had Hugo zijn uit voorzorg meegenomen antireumatische watten uit de koffer gehaald en zich daarvan een zacht billenbedje in zijn broekje gedrapeerd. Daarom zat hij nu redelijk comfortabel op het kussentje op de keukenstoel. Juist omdat Hugo het zo druk had gehad met zijn fysieke voorbereidingen, denkend dat hij de bodem van het psychisch ongeluk al bekeken had, daarom kwam het zo hard aan dat Ernest weg wilde. En Rosa leek het plan te verdedigen. Hugo werd er bijna driftig van. Opzet was het, het kon haast niet anders. Zij gunde hem het licht niet in de ogen. Ook Leo leek Ernest niet naar behoren van diens onzinnige werkplan af te willen houden. Het gaat hier om het geld, zo analyseerde Hugo de situatie, dat arme joch wordt opgejaagd en daar zat Rosa dan weer achter. Hugo kreeg meer en meer het gevoel dat hij medelijden met Ernest had in plaats van met zichzelf.

'Ik ga met je mee,' hoorde Hugo zichzelf zeggen en vervolgens nam Hugo nog een boterham.

Ernest maakte een hulpeloos gebaar naar Rosa.

'Hè blijf jij nog even gezellig hier,' zei deze, 'anders loopt iedereen ineens weg.'

Dit werd weer niet door Leo in dank afgenomen. Hij keek haar bestraffend aan. Het valt waarachtig niet mee om iedereen gelukkig te maken dacht Rosa en besloot het verdere verloop aan het noodlot over te laten.

Blauwbekkend had Rosa erop gestaan om Ernest en Hugo uit te zwaaien. Met tegenzin was Leo meegelopen. Het was niet druk op tweede kerstdag. En na tien minuten ging Leo maar eens informeren waar die verdomde trein bleef. Leo sprak de enige levende ziel in functie op het kleine station toe als een student die zojuist op spieken betrapt is en bovendien een onvoldoende heeft. Maar de stationschef was niet zó onder de indruk van de Hooggeleerde dat hij een aparte trein in wilde zetten. En zo zaten ze dan in die kille stationsrestauratie waar de bediening pas aan zou treden tegen dat de eerste trein zich melden zou.

'Ga toch naar huis, wat zitten jullie hier nu,' zei Ernest, 'nergens voor nodig.'

'Wij redden ons wel,' wist ook Hugo. Hij had onderweg een aardig restaurant gezien en wie weet zou Ernest zich zo amuseren dat hij een trein voorbij zou laten gaan. En zo had ieder zijn eigen plannetje. Rosa wilde blijven. Leo wilde naar huis. Hugo wilde alsnog zijn droom verwezenlijkt zien en

Ernest had grote behoefte aan eenzaamheid. L'enfer c'est les autres dacht Ernest theatraal maar daar is nog nooit een trein eerder door aangekomen. Toen het zonneklaar begon te worden dat het station op halve kracht werkte en men zich derhalve nog drie uur zo kostelijk moest amuseren gaf ook Rosa het op. Zodat er tenminste twee plannetjes met elkaar strookten.

Thuisgekomen stookte Leo de kachel op. Rosa zette koffie en het ging er waarachtig op lijken dat het Kerst zou gaan worden vond Leo.

'Merde Merde Merde wat een gedonder lieve schat.'

'Weet je,' zei Roos, 'wat ik zo aardig vond?'

'Wat?' vroeg Leo.

'Dat we alletwee vonden dat het Ernest niets aan ging wat Hugo allemaal al uitgespookt heeft met die auto's van hem vóórdat dit gebeurde. Ja, gek hè, zonder dat we het erover gehad hebben. Zal ik je eens een stukje voorlezen?' vroeg ze toen.

'Ja laat maar 'ns horen waar je me nou weer voor uitmaakt,' vond Leo.

'Waar waren we gebleven,' vroeg Rosa streng terwijl ze haar pantoffels aandeed en Leo de zijne aanreikte. Leo deed er een behoorlijk lange tijd over om z'n schoenen uit te doen. Het viel niet mee, zo samenhangend waren Rosa's verhalen nu ook weer niet.

Inmiddels leegde Roos de asbakken, zette de Kerstroos een beetje gezellig, schikte de kaarsen en hield vanuit haar ooghoeken Leo in de gaten. Deze zat zwaar in de zorgen.

'We waren gebleven in Amsterdam,' hielp Roos.

'Oh ja,' vond Leo, 'in Amsterdam.' Maar de hint leek niet veel verheldering te bieden.

Rosa schraapte haar keel, stak een sigaret op, zette haar leesbril op haar neus en begon: 'Sinds die middag van rampspoed in januari had Pieter 's morgens, zittend op zijn hurken op de mat achter z'n voordeur de post gesorteerd. Er gold slechts één criterium: was er een brief van Nora of niet?'

'Zeg,' zei Leo, 'overdrijf je niet een beetje, ik was natuurlijk wel gek op je maar ik heb nooit op de mat op jouw post zitten wachten.'

Rosa besloot zich er niets van aan te trekken: 'En al die zestig dagen had hij het stapeltje in z'n geheel op zijn bureau moeten kwakken, taal noch teken. Nora beantwoordde zijn brieven niet, Nora retourneerde zijn cadeautjes en Nora legde na een week de hoorn op de haak zodra ze zijn stem hoorde.'

'Cadeautjes? Stuurde ik jou cadeautjes?' vroeg Leo verbaasd, 'daar weet ik niets meer van.'

'Deed je ook niet,' zei Roos, 'maar neem nou een beetje afstand!'

'En zo lag Thomas' brief de hele dag ongelezen in de voorjaarszon op Pieters' bureau. Thomas moest wel iets heel schokkends geschreven hebben, want Pieter liep tussen het lezen door biddend door zijn royale huis van de kast naar de telefoon, van de telefoon naar de keuken, zonder dat hij iets te zoeken leek te hebben op die plaatsen.

"Wees gegroet Maria, vol van genade, gij zijt de gezegende, de gezegende onder de vrouwen..." '

'Ja da's typisch, vind je niet Roos, dat doe ik nooit meer tegenwoordig, hoe zou dat komen?'

'Nee dat is waar daar heb je gelijk in,' vond Rosa.

'Ik ben toch wel enorm veranderd, hè, in al die jaren.'

Wat prettig is het toch voor mensen zoals Hugo die een-
zaam thuiskomen dat er mensen zijn zoals Wil die daar op
hen wachten. Zoals het ook voor kleine kinderen het aller
plezierigst is als hun moeders thuis naast de theepot zitten
terwijl zij buiten gevaarlijke toeren uithalen. Nog leuker:
hun moeder zit zich stierlijk te vervelen en hoopt dat zij weldra binnenkomen om een spelletje Mens erger je niet met ze
te spelen. Dan pas lijkt dat levenslustige volkje echt te genieten. Mocht hun moeder de geestelijke spankracht op kunnen brengen om zich maar een ogenblik zelf te vermaken
dan schijnen de kleine dreumessen dit als bij toverslag aan te
voelen en te weten dat nu het moment gekomen is waarop
zij zich met hun kameraadjes met al even vuile voetjes de
salon binnen dienen te storten en om zo een spelletje te moeten zeuren.

Zo gaat dat ongeveer en wie van mening is dat er veel on-
gewisse zaken in het leven zijn lijkt wel eens te vergeten dat
er enkele ijzeren wetten bestaan waaraan men zich desge-
wenst vast kan houden.

Jammer, jammer dus dat Hugo niet met volle teugen kon
genieten van dit voorrecht. Hugo's hechtingen waren op het
koude station weer danig gaan trekken. Hugo's hand bleek
ook meer geleden te hebben dan hij zich gerealiseerd had.
Het waren eigenlijk alleen zijn billetjes waar het een beetje
goed mee ging en dat nog wel dankzij Hugo's eigen goede
zorgen. Gelukkig werd hij wat afgeleid van zijn verdriet
doordat er zoveel op te ruimen was. Zijn préshave en zijn
aftershave en zijn klitwortelolie en zijn haarwatertje om de
oliegeur te onderdrukken, zijn brillantine, zijn menthol
speksteenpoeder voor zijn voeten, zijn okselfrisspray, zijn

badschuim, zijn shampoo en zijn gewone zeepje, dat alles kon natuurlijk op de gewone plaatsen. Maar wat te denken van zijn nagelgarnituur, zijn aparte zakje met vuile was, zijn bergschoenen en zijn sportzonnebril? Zijn Duitse marken, zijn Samsonite schoudertas en zijn Samsonite koffertje voor kleine reisjes? Hugo was druk in de weer en toen hij alles een beetje aan kant had toen begon het ook wat warmer te worden in zijn flat. Wat te doen? Ernest nog even bellen of hij niet toch...?

En daar was Wil. Wil hield telefonische steekproeven en verwachtte allerminst hem thuis te zullen treffen. Vandaar dat ze behoorlijk uit haar doen was toen er opgenomen werd.

'Ja Wil,' zei Hugo. 'Is hij het hele weekend gebleven? Tjonge jonge.' (Hiep hoi dacht Hugo.) 'Zeg,' zei hij, 'heb jij misschien zin om vanavond met me te gaan eten?'

Natuurlijk had Wil daar wel zin in maar zou hij niet liever bij haar...? Nee, daar had Hugo helemaal geen zin in: 'Nee ik wil niet dat je er moeite voor doet. Wáár? Jij mag het zeggen.'

Het was een behoorlijk risico vond Hugo zelf maar hij was toch ook wel aardig opgelucht dat er tenminste iemand was met wie hij kon gaan eten. En wat zei Wil? Dorrius! Als dat niet een gelukje was, daar had Hugo nu juist zin in! Gewone erwtensoep of capucijners!

'Prima Wil,' riep Hugo, 'ik kom je ophalen.' Maar toen bedacht Wil dat Hugo geen auto had. Gadverdamme dacht Hugo nu moest hij met de tram en zijn hechtingen waren net iets minder gaan trekken. Maar enfin, beloofd is beloofd. Even dacht hij Wil nog bij hèm uit te nodigen maar alles zat in de diepvries in Wil's handige dozen en overhaast zijn hazepeper ontdooien was de dood voor de hazepeper en dat wilde Hugo niet op zijn geweten hebben.

Wil stond in haar mooie bisonjas al op Hugo te wachten toen hij uit lijn 2 stapte. Het verwonderde Hugo eigenlijk helemaal niet dat Wil niet naar binnen was gegaan maar hier in de kou stond.

Wil trouwens ook niet want Dorrius bleek gesloten op tweede Kerstdag. Iets wat ze zeker geweten zou hebben als ze zo dikwijls in de stad zou eten als Hugo deed. Gadverdamme, dacht Hugo en hij vergat Wil bijna gedag te zeggen

'Een taxi?' vroeg Wil aarzelend en waarachtig kwam er een aan. Wat nu?

'Ik kan hier wel een tijdje staan wachten totdat u uitgedacht bent maar dan sta ik toch altijd even prettiger op het Spui,' zei de taxichauffeur en stoof zo hard weg dat Hugo en Wil achterover in de kussens vielen.

'De la Paix,' wist Hugo.

'Waar is dat als ik vragen mag?' vroeg de chauffeur.

'In een van die kleine straatjes,' wist Hugo.

'Zal ik ze dan allemaal maar even proberen?' vroeg de chauffeur.

Dat leek geen goed idee en Hugo zocht naarstig naar een alternatief, niet te duur maar nou ook weer niet...

'Ik geloof dat ik wat voor u weet,' zei de chauffeur.

'Is het lekker?' vroeg Wil.

'Ik zou het niet lusten,' zei de chauffeur, 'want ze hebben geen jus.'

Dat leek Wil wel wat en Hugo durfde niet in te grijpen. Er volgde een haastige tocht door de uitgestorven stad.

'Waar zouden we terecht komen?' vroeg Wil genietend.

'Geen idee,' zei Hugo, had hij nu toch z'n Duitse marken maar meegenomen voor de zekerheid.

'Als 't te duur wordt heb ik wel,' zei Wil.

'Hier moet u zijn,' zei de chauffeur totaal onverwacht en ze keken eens uit het raam wat of hij nu toch wel mocht bedoelen. Volgens hen woonden hier uitsluitend de autochtone

Jordaners omdat er geen gerestaureerd pand in de hele straat te ontdekken viel.

'Trapje op,' wees de chauffeur half liggend op de voorbank. Hugo rekende af. Wil was al uitgestapt.

'Met z'n tweetjes?' vroeg de ober en wees hun twee tafeltjes elk ter grootte van een dambord. Doorschuiven naar de muur wist Wil. De eigen kaars, het eigen asbakje en de eigen zakdoek wezen erop dat elk dambord een zelfstandige unit vormde.

'Wat willen mevrouw en meneer drinken?' vroeg de ober die een leuke zachtgeel geblokte trui aan had en een das van hetzelfde dessin maar een ander stofje.

'Geeft u de wijn...' wilde Hugo zeggen.

'Een sherry graag,' zei Wil.

'Medium?' vroeg de ober, 'en dry voor meneer zeker,' en hij streek even met zijn pink een lokje weg dat speciaal op terugvallen geonduleerd was.

'Kijk eens aan,' zei de ober terwijl hij de sherry bracht. 'Hier is de kaart voor mevrouw, hier is de kaart voor meneer. Hier is het asbakje en hier heb ik een lucifertje van de zaak.' En terwijl hij de lucifers neerlegde maakte hij een gebaartje waaruit men op zou kunnen maken dat hij zich zojuist aan die lucifers gebrand had.

'Gezellig,' zei Wil en keek eens om zich heen, 'prachtige bloemen, zie je dat?'

Hugo draaide zich wat wild om zodat zijn achterbuurvrouw met haar soeplepel tegen haar tanden stootte maar alles kwam gelukkig weer direct in haar soepkom terecht dus eigenlijk was er niets gebeurd.

En wat Hugo vreesde gebeurde: Wil wou een voorafje èn soep en niet òf òf zoals Hugo gehoopt had en hij probeerde zich voór te bereiden op het feit dat Wil zeker van de mogelijkheid tot dessert gebruik zou maken. In feite, dat had Wil hem dikwijls bekend, in feite vond Wil eigenlijk het toetje het lekkerste van alles. Hugo ook als het niet zo in de papieren zou lopen.

'Zit u er erg over in?' vroeg Wil onder de slakken.

'Waarover bedoel je?' vroeg Hugo, hij had tenslotte heel wat tegenslagen waaruit te kiezen viel.

'Dat ongeluk,' zei Wil.

Hugo keek haar gekweld aan: 'Ja.'

'Hoe moet het nu met de zaak,' vroeg Wil 'als u er niet bent.'

'Ik er niet ben,' vroeg Hugo, 'dacht je dat ik in de gevangenis kwam? Wel nee! Hoe kom je daar nu toch bij?'

'Oh,' zei Wil 'echt niet?'

'Wel nee,' zei Hugo, 'het is toch een ongeluk?'

Ze zwegen.

'Heerlijke wijn,' zei Wil tegen de huiswijn.

'Ja,' vond Hugo, 'geen enkele reden om...' maar dat leek hem te ver gaan.

'Ik heb zo dikwijls aan u moeten denken,' zei Wil. 'Hebt u het nu wel naar uw zin gehad? U bent zo kort gebleven.'

'Ach,' zei Hugo, 'het viel een beetje tegen. Die vrouw kan zo ontzettend zijn, nee daar zijn geen woorden voor.'

Zo mocht Wil het horen.

'Maar aan uw neef beleeft u toch altijd veel plezier?' vroeg ze.

'Zeker, zeker,' zei Hugo, 'een heerlijk joch, fantastisch. We hebben gewandeld, heerlijk gewoon, het is er prachtig. Allerlei plekjes liet hij me zien. Zo'n jongen komt op plaatsen die je zèlf niet opmerkt, hè.'

Wil knikte meelevend.

'Maar ja, dan is het eens te meer...'

'Wat?' vroeg Wil.

'Ach,' Hugo maakte een afwimpelend gebaar terwijl hij zijn mond afveegde om een slokje te nemen, 'laat maar, ze is nu eenmaal niet anders. Maar je zult ermee getrouwd zijn, moet je je zoiets voorstellen.'

'Ontzettend,' zei Wil.

Ze klonken. Hun immens grote wijnkelken baarden hen beiden zorgen. Wil omdat ze vreesde dat ze stuk zouden gaan bij het klinken en Hugo omdat hij zag dat er meer dan een kwart liter in verdween als de ober ze even bijschonk èn omdat Wil dat niet scheen te merken.

'Bijvoorbeeld,' zei Hugo, 'dat getiranniseer met dat eten van haar. Koken kan ze niet, geen sprake van: maar je moet en je zult. En,' zei Hugo terwijl hij zijn mond weer afveegde, 'ze kleedt zich niet. Zelfs niet met Kerst.'

'Ach jee, ja dat is jammer,' vond Wil.

'Leuk pakje heb je aan,' zei Hugo.

'Dank je,' zei Wil en sopte haar stokbrood in de achtergebleven boter van de slakken. Dat kon me wel eens een toetje uitsparen dacht Hugo.

'Gesmaakt mevrouw meneer?' vroeg de ober.

'Heerlijk,' zei Wil.

'Zal ik u de wijnkaart nog even brengen meneer?'

'Nee, doet u maar hetzelfde ober,' zei Hugo streng.

En Wil vond het reuze flink van Hugo dat hij zich de wet niet liet stellen.

'Zou het een stel zijn?' vroeg Wil.

'Nee,' zei Hugo.

'Ik geloof van wel.'

'Hoe dat zo?'

'Zelfde schoenen,' zei Wil.

Hugo keek eens naar de voeten van de blonde god en daarna draaide hij zich om naar de kassa die geheel verbloemd leek door de bloemen.

'Wat zou dat trouwens hè,' zei Hugo.

'Nee,' zei Wil, 'als het eten maar goed is.'

'Is iedereen niet een beetje zo, èrgens?' zei Hugo.

Daar keek Wil van op. Ze keek hem onderzoekend aan.

'Kom nou,' zei Wil en nam hartelijk afscheid van het idee. Hugo had ook niet zo'n zin meer in het onderwerp.

'U moest eigenlijk eens helemaal tot rust kunnen komen,' zei Wil.

Dat vond Hugo ook alleen hij wist niet waar of eigenlijk wist hij het wèl: aan de Rivièra met Ernest.

'Heerlijk,' zei Wil en schepte zich haar Brussels lofje op.

'Ja, zeg dat wel,' zei Hugo tevreden en nam de beide opgebonden bundeltjes asperges. 'Jij nog een aardappelcroquetje?'

'Eentje dan,' zei Wil, 'dan neem ik er straks...' maar dat was nu te laat.

'Smaakt het mevrouw meneer?' vroeg de ober.

'Uitstekend,' zei Hugo en hield het huismerk omhoog.

'Nog maar eentje?' zei de ober, 'het kan niet op.'

En dat vonden Wil en Hugo allebei ongepast.

'Zou je hem niet,' zei Wil.

'Ach,' vond Hugo.

'Ik ben blij dat ik thuis was vanavond,' zei Wil.

'Ik ook,' vond Hugo terwijl Wil van haar bananensorbet zat te genieten. Jaloers keek Hugo naar Wil's ovalen slagroomfeest.

'Ik geloof nooit dat ik dat helemaal op krijg,' zei Wil verontschuldigend.

'Geeft niets kindje dan neem ik het wel voor m'n rekening.' Hugo nam een pepermuntje in afwachting van het breekpunt.

Wil zorgde dat ze recht schepte en niet alleen opat wat ze het lekkerste vond.

'Vroeger waren dat bonbons,' wist Hugo, wijzend op de pepermuntjes.

'Ach,' vond Wil. 'Zullen we nu bij mij thuis een cognacje...' vroeg ze.

Dit gaf even een moeilijkheid die Hugo gelukkig al voor

zichzelf opgelost had tijdens de koffie. Cognac bij hèm bracht het probleem met zich mee dat hij Wil misschien niet de deur uit zou kunnen krijgen.

Cognac bij haar was dus te verkiezen ware het niet dat Wiesje...

Hugo besloot gezellig de gordijnen voor Wil te sluiten zodra hij binnen kwam.

Het viel niet mee een taxi te krijgen maar de ober deed zijn uiterste best en waarachtig daar was hij al, dezelfde van de heenreis. Het was haasten met de rekening. Het was maar goed dat Wil even bij kon springen want Hugo dacht eerst dat hij de rekening verkeerd las, toen dat er een telfout in zat en toen dat hij vijfenzeventig gulden te kort kwam en dat was zo.

'Zo,' zei Wil thuisgekomen, 'gaat u lekker zitten.'

'Zouden we elkaar niet tutoyeren Wil, als we samen zijn,' zei Hugo.

'Graag,' zei Wil.

En toen praatten ze samen over kantoor, over Belinda, over Anton en over hoe het nu toch in vredesnaam mogelijk was dat in één gebouw èn de fundering het begeven had èn het schokbeton terwijl het nota bene nog in áánbouw was. En op Wil's uitnodiging was Hugo bijna in de logeerkamer blijven slapen, ware het niet dat Hugo opeens aan zijn wattenpakket denken moest dat Wil zeker zien zou als hij even in zijn onderbroekje naar het toilet moest of zoiets.

19 Credo

Zoals in de bergen de auto's steeds in groepjes van drie lijken te rijden en zoals men na tijdenlang nergens voor uitgenodigd te zijn opeens drievoudig geïnviteerd kan worden
op een en dezelfde dag zodat men zich verplicht ziet twee
festiviteiten af te slaan waarnaar men toch zo hunkert, zo
leek het in Ernest's geval voor begrafenissen te liggen. Niet
zo een wonder zou men denken omdat ernstige ziekten zich
ook groepsgewijs lijken aan te kondigen en een vliegtuig-
ongelukkenserie steeds uit drie bestaat. Maar Ernest die te-
voren nooit een hoofdstedelijke uitvaart had meegemaakt
stond er toch wel van te kijken dat hij nu voor de derde
maal in veertien dagen zijn donkerblauwe pak aan deed. Zijn
lichtblauwe overhemd met het decente ruitje had nauwelijks
de tijd gekregen om goed droog te worden zodat Ernest het
onaangename gevoel had dat de rillingen van de nog vochtige manchetten opkropen om halverwege zijn bovenarmen
die van de boord te ontmoeten. Alsof men twee stenen in een
vijver had geworpen wier kringen elkaar ontmoetten. Ernest's spoedbestelling was gelukkig ook in orde gekomen.
Twee boeketten witte rozen zouden naar de aula gebracht
worden. Aan Ernest de vrees of zij wel bij de goede familie
terecht zouden komen gezien de geweldige omzet aan ter-
aardebestellingen welke men daar dagelijks te verwerken
had. Nog een geluk dat het om twee dezelfde bossen ging,
meende Ernest. De kans dat men aan de familie De Winter
zou denken nam hiermee welhaast kwadratisch toe. En hij
kreeg een kleur van schaamte bij die gedachte. Hoeveel keer
had Ernest het protocol van de gebeurtenis niet doorgenomen. Maar nu het tot de realiteit kwam moest Ernest, op
weg in lijn 9, toch toegeven dat hij het protocol als het ware

enigszins naar zichzelf had toegetrokken.

Professor De Winter was gescheiden, dàt wel, maar dat behoefde niet zonder meer in te houden dat zij Ernest verkiezen zou als begeleider. Hierop bereidde Ernest zich voor.

Het was jammer dat het zo gesmeerd liep met de tramverbindingen anders zou Ernest misschien ook tot het inzicht gekomen zijn dat hij niet de enige student behoefde te zijn die zich het lot van mevrouw De Winter aantrok (en haar domme zoons niet te vergeten). Wel was Ernest haar enige keuzevakstudent bij de bijeenkomst. Ernest herkende geen mens ofschoon het er wemelde van de leeftijdsgenoten. Ook was niemand er zo op gekleed als hij. Het olijfgroen voerde de boventoon, afgezien van het vaal bruin en licht aangevreten zwart van de bontjassen van drie studentes.

Professor De Winter scheen zeer geliefd te zijn, zo merkte Ernest tot zijn verdriet, of waren het de vrienden van dat stelletje onnozele klauteraars? Dat hoopte hij maar. Ernest begon zich meer en meer opgelaten te voelen en was blij dat hij enige afleiding vond in de bloemist die zachtjes mompelend aan de dienstdoende portier meedeelde dat het om de familie De Winter te doen was. Zijn rozenstruiken waren wat kleiner dan Ernest had verwacht maar toch heel wat beter dan de verfomfaaide bosjes tulpen en chrysanten waar de anderen mee in de hand stonden. Men had niet eens de moeite genomen om een handvatje van zilverpapier om de stelen te bevestigen. Daar kwam de eerste wagen de oprijlaan ingereden, gevolgd door één, twee, drie, vier, vijf volgwagens, telde Ernest. De eerste twee reden door tot achter de aula. De derde stopte bij de ingang. De chauffeur hielp Louise de Winter uit de auto. Oh God wat was ze klein en weerloos. Ernest voelde zijn hart bonzen en deed een stapje terug. Ook de anderen weken wat toen zij haar zagen. Uit de aula klonk muziek en even later hoorde Ernest zingen. Het waren jonge stemmen. Een requiem van Händel en het orgel was vals hoorde Ernest.

Mevrouw De Winter was voorbij, aan beide zijden liep een man, een droeg haar tasje. Ernest voelde een golf van jaloezie. Dan volgden wat onbekende gezichten, ouder dan mevrouw De Winter, dan wat collega's van zijn vader. Zie je wel dacht Ernest. En daar waren de rector van zijn universiteit en zijn vrouw die Ernest goed kende van de sterreclame van de afwasdreft. Ernest kon er nooit op uitgekeken raken hoeveel borden mevrouw Kooistra wel schoon kreeg met dat Dreft druppeltje en hoe verwonderd ze dan keek als ze zag dat het Dreft was.

Eindelijk mocht de klappertandende buitenwacht aansluiten.

'Hé Ernest,' fluisterde een van de bontjas-meisjes en ze stak vertrouwelijk haar hand door zijn arm. Dat kon Ernest niet hebben op dit moment hoe aardig hij Annelies ook vond.

'Kende jij Xander?' vroeg Annelies.

'Nee,' fluisterde Ernest.

'Kom je dan voor Johannes?'

'Nee,' zei Ernest.

'Kom je voor háár?' vroeg Annelies verbijsterd.

Ernest gaf geen antwoord.

'In plaats van je vader misschien?'

Nu maakte Ernest zich los uit haar greep.

'Heb je tentamen bij haar gedaan?' Annelies liet niet zo gauw los als ze beet had.

Ernest knikte.

'Mag ik je dictaat?'

'Natuurlijk,' zei Ernest en probeerde haar voor te laten gaan bij de stoelen, dan zou hij er nog eentje tussenlaten en dan pas zou Ernest zelf aansluiten. Het lukte, mèt uitzicht op mevrouw De Winter als Ernest een beetje naar rechts boog.

De beide kisten met de uilskuikens waren overladen met bloemen. Mevrouw De Winter keek strak voor zich uit en vermeed de kisten. Een van haar begeleiders leek haar iets te vragen maar het duurde even voor zij op hem lette.

Nadat kennelijk een broer van mevrouw De Winter had gezegd hoezeer hij de beide jongens zou missen en meeleefde met Louise de Winter, nadat een student bevend maar met schelle stem had verklaard welk een slag de alpinisten-vereniging was toegebracht, nadat een ander namens de tennisvereniging, de roeivereniging en het corps had verteld dat geen der drie gemeenschappen zich zelf gelijk zou blijven na dit verlies, kwam de rector en de rector zei dat ook de universiteit een zware slag was toegebracht. Dat wilde Ernest wel geloven, in deze tijd van studentengebrek werd zelfs de grootste onbenul node gemist zoals zijn vader hem steeds voorhield. Toen kwam er nog een onbekende spreker, hij leek de dominee maar het was niet helemaal een echte, het leek een bevriende dominee te zijn die de familie van haver tot gort kende vond hijzelf. Hij legde uit dat Gods wegen voor ons mensen weliswaar ondoorgrondelijk zijn en dat wij geneigd zijn in opstand te komen tegen onbegrijpelijke beslissingen maar dat het toch zo was dat hij ons beminde (God dus), omdat zíjn wijsheid er uiteindelijk een van genade was. Ernest zat over dit laatste nog na te denken tijdens het bidden zodat hij eigenlijk overvallen werd door mevrouw De Winter die plotseling op de plaats van de dominee toeliep. Ernest's adem stokte. Met een droge schrille stem bedankte mevrouw De Winter allen die afscheid waren komen nemen van Xander en van Johannes. Daarop kwam het orgel weer dat een beetje vals was èn het koor.

In een lange stoet liep men achter de twee wagentjes aan. Aangekomen bij de voorgegraven kuilen kwam de dominee nog even aan het woord maar dat kon Ernest niet verstaan omdat de wind verkeerd stond. In plaats van de eerste te zijn die Louise kon condoleren zoals in zijn dromen steeds het geval was geweest bleek Ernest de op één na laatste. Mevrouw De Winter was zo moe geworden van al die handen die haar waren toegestoken dat haar witte gezichtje veel minder gespannen leek en oh wonder: 'Dag Ernest' zei Louise, 'wat lief dat je gekomen bent.'

Het was stil die ochtend in de Blasiusstraat. Ze waren heel lief vcor Truus geweest maar nu waren ze weg. En Truus zat alleen op haar bank en wreef eens met haar hand over de punt van de kloostertafel waar je àlles op zag.

'Godkolere Jantje wat heb je me nou klaargemaakt,' zuchtte Truus en liep naar de keuken om zich nog een kopje koffie in te schenken.

'Hoe kan het nou dat ik je zo missen kan je was er toch nooit met de koffie? Van mijn eigen word ik ook misselijk,' zei Truus vervolgens tegen zichzelf toen ze merkte dat ze twee kopjes op het aanrecht had neergezet toen ze koffie ging maken en zuchtend borg ze Jan's kopje weg. Er werd gebeld. Als dat Tiny niet was dacht Truus, ik moet geen Tiny nou. Ik ben mijn eigen niet mompelde ze terwijl ze het telefoontje opnam.

'Wie is daar?' schreeuwde Truus die eigenlijk nog altijd aan het touw in het trapgat gewend was en de door Ernest aangebrachte modernisering nog steeds niet in haar gedragsrepertoire had opgenomen.

'Ihik,' blèrde Tiny, 'wie ànders.' Ook Tiny had moeite met veranderingen.

Truus deed de deur naar het portaal vast open en pakte een kopje voor Tiny, de kopjes voor de visite stonden achter die van Jan en haar en dat zou nog jaren zo blijven.

'Hoe gaat het nou met je mop,' zo kwam Tiny hijgend binnen.

'Je komt toch niet kijken of ik mijn eigen verhangen heb, wel?' zei Truus.

Tiny schrok even maar liet zich niet uit het veld slaan.

'Zeg je beheerst je eigen maar hè of we niet genoeg begrafenissen gehad hebben.'

Hoe goed bedoeld ook, het kwam niet helemaal over. Truus moest opeens weer huilen: 'Jij kan zo grof wezen,' zei Truus.

Tiny stond er hulpeloos bij. 'Neem me niet kwalijk, toe nou moppie ik zeg het in m'n zenuwen, dat had ik niet bedoeld.'

'Dan moet je zoiets niet zeggen,' snikte Truus.

'Hier, koffie,' zei Tiny.

Truus veegde haar tranen weg: 'Ik ben helemaal mijn eigen niet meer,' zei ze, 'neem me niet kwalijk.'

'Ik toch ook niet,' zei Tiny.

'Waarom jij niet,' vroeg Truus, 'met jou is toch niks.'

'Nee,' zei Tiny, 'maar toch.'

'Hoe moet ik nou rondkomen?' vroeg Truus opeens.

'Jij krijgt heel veel poen,' beloofde Tiny.

'Er is een man van de verzekering geweest,' zei Truus.

'En?' vroeg Tiny gespannen.

Truus haalde haar schouders op: 'Het zag hier wit van de papieren,' en ze maakte een slordig gebaar naar de kloostertafel, 'ik kon geen plek meer vinden om zijn koffie neer te zetten. Weet je hoe die kolerelijer heette,' vroeg Truus opeens: 'Kwispel. Heb jij ooit iemand ontmoet die Kwispel heette? Kwispel,' en ze begon zo hikkend te lachen dat Tiny een ogenblik dacht dat ze met huilen te doen had. 'Kwispel,' hikte Truus.

Maar Tiny scheen de humor er niet zo van in te zien: 'Wie heette zo?' vroeg Tiny streng.

'Die màn,' zei Truus en hield nu ook op met lachen.

'Van de verzekering bedoel je?'

'Doe niet zo achterlijk,' zei Truus kwaad, 'nee die van mijn Jan,' en daar begon Truus waarachtig weer te huilen.

Maar Tiny had nu geen tijd voor haar.

'Truus,' zei Tiny dringend, 'Truus hou jij 's even op laat

mij 'ns denken. Oh Gat,' zei Tiny, 'Oh Gattegattegat.'

'Wat,' vroeg Truus, 'wat is er meid?'

'Oh nee, oh god nee, zeg dat het niet waar is,' smeekte Tiny.

'Wat nou,' zei Truus.

'Dat etter zat onder de pleisters.'

'Wat nou.'

'En ik zeg nog... ik zeg nog tegen hem... oh nee.'

'Wat nou mop,' vroeg Truus ongeduldig.

'Die man van m'n nieuwe adres die heet ook zo.'

'Wel nee,' wist Truus, 'die is het niet hoe kom je daar nou bij? Kwispels zàt,' en ze begon bijna weer te lachen, Tiny trouwens ook. Beneden sloeg een deur.

De Blasiusstraat was trouwens niet het enige adres waar koffie gezet werd. Wil's elektrische machine gromde dat hij klaar was. Halfvol vandaag want Belinda was ziek en Anton was naar een arbitrage in Tiel. Want in Tiel was plotseling onenigheid uitgebroken over de plaatsing van een toiletpot en wat erger was ook het schouwtje was niet volgens tekening. En sinds de vereniging 'Eigen Woning' bestond kon een ieder die een kippehok voor eigen rekening had laten optrekken bij 'Eigen Woning' terecht om te klagen al was het over de leg, daarom ging het niet zo slecht als het eigenlijk had behoren te gaan met de Stichting tot beslechting van geschillen voor de bouwbedrijven in Nederland van Hugo.

Wil, wetend dat ze vandaag de hele dag vadertje en moedertje met Hugo mocht spelen had niet hoeven haasten met haar nieuwsberichten en er een gezellig tijdstip voor uit kunnen kiezen.

'Weet u wat ik gisteren zag?' vroeg Wil.

'Nou,' zei Hugo, 'wat zag je?'

'Nieuwe meubelen.'

'Nee toch,' zei Hugo geschrokken.

'Ja wel,' zei Wil.

'Nou daar zal ik dan binnenkort de rekening wel van zien.'
Hugo vatte de zaak rustig op vandaag vond Wil.

'En een televisie,' zei Wil.

'Die was nog goed,' zei Hugo, 'is ze nou mal.'

'En een ijskast.'

'Die was pas nieuw,' riep Hugo.

'En een schrijfbureau.'

'Kan niet, je plaagt me Wil,' zei Hugo gekweld en hij legde even zijn hand op haar arm (dat deed Hugo nooit tot op
heden, stapje voor stapje dacht Wil). 'Dat is niet waar hè,
toe.'

'Jawel,' zei Wil streng, 'en een kleed, ik dacht Perzisch,
maar daar kan ik me in vergissen.'

Hugo's mond viel een beetje open: er was wat met Wil
vandaag.

'En,' zei Wil en ze keek erbij alsof Hugo zijn schoen had
mogen zetten en zij alleen wist wat erin zat. Hugo keek trouwens ook zo.

'Een... twéé!'

Hugo dacht dat Wil aan het aftellen was.

'Een... twee,' zei Wil, 'een... twee persoons...'

'Bed,' riep Hugo, 'een tweepersoonsbed!' Bijna was hij
'hiep hoi hiep hoi' door zijn kantoortuin gehuppeld. Wil
was tevreden! Wil kreeg een zoen op beide wangen van
Hugo. Wil was méér dan tevreden!

Koffie was er ook in de Eifel zij het dat het daar niet Douwe
Egberts maar Clé d'Or Dessert Royal heette, het gaat om
het idee tenslotte. Leo en Rosa hadden langs de balletjes en
langs de driehoekjes gewandeld en waren zelfs op eigen ini-
tiatief van de vierkantjes op de balletjes overgestapt zonder
te verdwalen.

'Ik wil hier niet meer weg,' zei Leo, 'ik wil hier blijven.'

'Ja,' droomde Rosa, 'wat zou dat heerlijk zijn.'

'Mijn hele leven,' zei Leo.

'Is dat niet wat lang?' vroeg Roos.

'Is het niet zonde,' zei Leo, 'om je leven zo te verspillen?'

Daar keek Rosa een beetje van op.

'Zo vreselijk vind je je werk toch niet?'

'Jawel,' zei Leo, 'nu ik dit zie.'

'Zou dat niet gaan vervelen,' vroeg Roos, 'zonder kennissen?'

'Verveel jij je?' vroeg Leo.

'Nee,' zei Roos, 'nee niet in 't minst.'

'Nou dan.'

'We zijn er pas een week.'

'Het is niet goed zoals we thuis leven,' wist Leo, 'we zijn van de aarde vervreemd en nu ik niet meer voor moeder...'

'Hè toe,' zei Roos, 'hou daar nou over op. Je zou je eigen groente kunnen verbouwen.'

'Heb je die tuin van hiernaast gezien,' zei Leo, 'dat krijgen ze nooit op. Als die boerekool allemaal tegelijk gaar wordt.'

'Rijp is,' verbeterde Roos.

'Klaar is,' zei Leo.

'Volgroeid is,' vond Roos.

'In elk geval,' zei Leo, 'dan staat je ijskast bol dan moet je hem dicht stampen en dan heb ik het nog helemaal niet over die rode kool.'

Ze drentelden naar het raam.

'En witte kool,' zei Roos.

'En savoye kool,' zei Leo.

'Dat is hetzelfde,' zei Roos.

'En zuurkool.'

'Dat is ook hetzelfde,' vond Roos.

'Wat zijn er veel variaties van kool hè,' zei Leo.

'Je kunt het allemaal bewaren,' wist Roos, 'in een stenen

vat met een steen erop.'

'Oh nee,' zei Leo, 'dat stinkt.'

'In de garage,' bedelde Roos.

'Nee, in de pan, ik herinner me die stank nog uit de oorlog.'

'Sperziebonen kan ook,' zei Roos, 'dat gaat nèt zo.'

'Daar stijgt je bloeddruk van,' wist Leo, 'dat is bremzout daar springt je tandvlees van zo zout is dat lieve schat.'

'En brem,' zei Roos, 'dat zou op het talud kunnen dat kun je er zó insteken en dan groeit het.'

'Hoe weet je dat?' vroeg Leo vol bewondering.

'Boek,' zei Roos en knikte naar Hugo's Heesters en wilde bloemen in de Eifel.

'Goed hè,' vond Leo, 'en dat ik dan nooit meer naar een commissie zou hoeven.'

'En geen tweede tranche,' zuchtte Roos.

'En geen eerste fase,' knikte Leo. 'Wat is dat nou,' vroeg hij opeens, 'Roos moet je zien, iets geks, ik zie iets geks.'

Roos ging op haar tenen staan.

'Wat zie je?'

'Oh nee,' zei Leo gerust gesteld, 'toch niet gelukkig. Nee ik dacht eventjes.'

'Wat dacht je, wat dacht je nou,' wilde Rosa weten.

'Ik dacht dat daar, links van die kabel, zie je, ik dacht dat ik daar iemand met een soort aapje zag lopen maar het was een mens gelukkig.'

'Hè,' vond Roos, 'je maakt me helemaal nerveus die man heeft gewoon een bontmutsje op dat is die meneer van hiernaast met z'n vrouw.'

'Nooit koop ik zo'n gek mutsje als je dat maar weet,' zei Leo.

'Nee natuurlijk niet,' vond ook Rosa, 'dàg mevrouw, dàg meneer,' knikten ze beiden achter hun termopane beglazing toen de buren genaderd waren... 'met je gekke mutsje.'

'Oh wat ben jij kinderachtig. Schenk liever koffie in. Zal ik je nog wat voorlezen?'

'Is het erg deze keer?' vroeg Leo.

'Nee hoor dat valt best mee,' zei Rosa.

'Er had zich een eigenaardige omwenteling voorgedaan in Pieters' bestaan. Hij dacht bijna niet meer aan Nora.'

'Ja Roos,' zei Leo, 'daar heb je gelijk in, je was helemaal op de achtergrond geraakt.'

'Zie je wel,' zei Roos, 'ik ken m'n plaats toch. Mag ik verder? ''Hij sorteerde de post ook heel anders nu, hij zocht naar Thomas' brieven. Die brieven waren van toon veranderd sinds Pieters genereuze aanbod. En van de weeromstuit was Pieters voorstel hem zelf ook steeds duidelijker geworden en – en dat was wel het meest merkwaardige – Pieter kreeg plezier in z'n nieuwe hoedanigheid.'' '

'Nee Roos, ik wist precies wat ik deed,' zei Leo, 'je moet me niet zo stom afschilderen dat vind ik niet leuk Roos, ècht niet.'

'Je kunt nu eenmaal mensen in je boek nooit intelligenter maken dan je zelf bent,' zei Roos, 'je moet niet zo zaniken, ik doe m'n best.'

Niets weerhield Ernest ervan om de rest van zijn vakantie in de Eifel door te brengen en eigenlijk alles. Maar hoe dat verhaal plausibel te maken voor zijn vader die voor zulk soort dingen totaal geen gevoel had? Laat staan dat Ernest hem het object van zijn voortdurende zorgen zou kunnen openbaren. Nee Ernest liet het maar bij zijn studie op het gevaar af dat z'n vader hem een uitslover zou vinden.

In werkelijkheid droomden Leo en Rosa over totale abstinentie zodat hij zich eigenlijk helemaal geen zorgen had behoeven te maken. Maar jammer genoeg zal het tot in eeuwigen dage zo blijven dat kinderen vrezen dat hun ouders zich jammerend van de rotsen storten zodra zij de ouderlijke woning de rug toe keren terwijl die lieve mensen zich in negen van de tien gevallen kostelijk amuseren tijdens hun afwezigheid. Sterker nog, Leo en Rosa dachten een ingenieus plan uit waarbij Leo zich zou verbinden aan de Open Universiteit, een instituut voor zelfstudie waarin ieder lid van de Nederlandse samenleving zich een doctorstitel zou kunnen verwerven, meesterstitel in Leo's geval, terwijl Leo zelf in de wouden zou zwerven, hoogstens eenmaal per week gestoord door het Deutsche Postamt dat hem een pakket foliovellen bracht van al die zwoegende Nederlanders die hij nà zijn middagdutje en vóór zijn sherry snel op taalfouten zou corrigeren zodat hij nog net kon inspecteren hoe de rode kool ervoor stond voor het donker zou worden. Het zou immers nog minstens zes jaar duren vóórdat Nederland massaal kandidaats gedaan had en aan de doctoraalstudie zou beginnen?

En in al die prachtige jaren zou immers ruim negentig procent van de Nederlandse bevolking gesmoord zijn in Leo's taalcorrecties en andere ditjes en datjes die hij dromend in hun kantlijn kon schrijven? En tegen die tijd, als hij werkelijk om een boek verlegen zou zitten om de foliovellen vol huisvlijt te corrigeren dan, ja dàn was er zeker de mogelijkheid tot aanschaf van een computerterminal, die Leo's professorale kennis op elk gewenst moment zou kunnen aanvullen. Had hij niet een prachtig vak, wars van elke aanpassing of verandering, hoe klein ook? Nee Leo was zelden zó tevreden geweest met juridische professie als vandaag in die stralende schoonheid van de natuur.

'Zijn er geen dagen dat ze bij elkaar komen Leo, in het regionale studiecentrum?' vroeg Rosa angstig.

'Nauwelijks, nauwelijks; net genoeg om de huur op te halen thuis.'

'Gaan we Buitenveldert dan verhuren?' vroeg Roos.

'Natuurlijk,' vond Leo, 'òf verkopen.'

'Zo zo,' zei Roos, 'dat is ook wat. Zou dat geen ontworteld gevoel geven?'

'Ontworteld?' Leo was nu echt verbaasd. 'Met al die wortels om je heen?'

Maar ja, wist Ernest veel van de stroomversnelling waarin hun denkproces zich bevond. Ernest ploegde voort in zijn pogingen om zich een schuilplaats in het psychisch universum te verwerven en het viel niet mee dat kon Ernest wel vertellen als hij iemand zou hebben aan wie hij dat vertellen kon. Zo was er bijvoorbeeld de telefoon waar Ernest zich tegenwoordig wel haast ongelukkig door schrok terwijl hij er de halve dag mee door bracht om erop te wachten. En bijna onveranderlijk leverde de telefoon hem Annelies op naar wie zijn hoofd niet stond of oom Hugo die niet van ophouden wist. Maar niet één keer in deze lange uitzichtloze week was het Louise de Winter geweest. Nee, er viel veel te lijden voor Ernest waar anderen geen weet van hadden.

Een ander hoogtepunt van de dag: de post. De post bracht

Ernest al evenmin waarop hij wachtte: een kleine beschaafde enveloppe met een grijs randje en daarin een beschaafd kaartje met een al even grijs randje en daarop zou dan in die niet helemaal zwarte – maar ook niet zo grijze letters als het randje – staan hoezeer Louise de belangstelling op prijs had gesteld en gesterkt was door de hartelijkheid en de warmte die zij had mogen ondervinden en dan en dàn in Louises handschrift... daar durfde Ernest niet aan te denken of tòch... of niet?

De telefoon: Ernest liet zowat het boek waarboven hij had zitten dromen uit zijn handen vallen.

'Spreek ik met Ernest de Zeeuw? Ik verbind je door,' zei de vakgroepssecretaresse. Ernest hield de hoorn zo krachtig tegen zijn oor dat het weldra rood zou uitslaan.

'Dag Ernest.'

'Dag professor, dag mevrouw,' zei Ernest, 'hoe gaat het met u?'

'Ernest,' zei mevrouw De Winter, 'het spijt me verschrikkelijk maar... ik weet dat je bij me was toen... toen,' zei Louise en stotterend ging ze verder: 'vergeef me dat ik het je vraag maar Ernest, wat dééd je precies bij mij, kwam je misschien voor de commissie herstel postkandidaats of was het nu het studentenoverleg eerste fase?'

'Nee mevrouw, ik kwam tentamen bij u doen.'

'Oh,' zei mevrouw De Winter, 'oh...'

'Maar dat geeft niets.'

'Hoe bedoel je, waren we nog niet begonnen?'

'Nee mevrouw.' Ernest dacht dat mevrouw De Winter zijn hart wel door de telefoon moest horen kloppen.

'Oh jeetje,' zei mevrouw De Winter, 'je had je natuurlijk voorbereid en nu...'

'Dat geeft helemaal niets mevrouw De Winter.'

'Zullen we dan een nieuwe afspraak maken,' zei ze aarzelend, 'als het je schikt, misschien morgen of overmorgen of zeg het maar?'

Nú had Ernest willen zeggen maar hij bedacht zich: morgen was er kans dat zij thuis was. 'Morgen misschien?' vroeg Ernest.

'Natuurlijk,' zei Louise, 'kom je dan bij me thuis, je weet het nu te vinden, als het niet te lastig voor je is. Om elf uur?'

'Natuurlijk,' zei Ernest, en: 'graag, heel graag zelfs mevrouw De Winter.'

'Dag Ernest,' hoorde hij haar zachtjes zeggen.

'Dag mevrouw,' zei Ernest haast even zachtjes als zij. En daarna sprong Ernest na een korte aanloop languit op zijn bed: Madonna Madonna Gloria Patri et Filio et Spiritui Sancto! Grátias Gratias! En hij kuste zijn eigen handen, spreidde de armen wijd uiteen en deelde onder tranen de zegen mee aan de witte plafonière en de guitige poster van Einstein die boven zijn bed hing.

Zo lag Ernest in zijn telefonisch opgewekte extase toen er kort op de deur werd getikt.

'Meneer,' riep Tiny.

'Ja mevrouw Sanders,' zei Ernest en haastte zich naar de deur, een en al bereidwilligheid tot medeleven en hulpvaardigheid.

Mevrouw Sanders was erg nerveus dat zag hij wel.

'Neemt u me niet kwalijk, maar ik wilde u vragen, meneer Kwispel, uw gewezen oom zal ik maar even zeggen, waar ik tegenwoordig werk dat is toch alstublieft niet die man van Jan van boven?'

Ernest voelde de behoefte tot hulpverlening enigszins in de schoenen zinken. Hij haalde diep adem: 'Ik ben bang van wel,' zei hij met een zucht.

'Oh maar u weet het ook niet zéker,' hoopte Tiny.

'Gaat u even zitten,' zei Ernest. Tiny ging op de punt van de stoel zitten en keek Ernest hulpeloos aan.

'Tiny,' hoorden ze toen beiden van boven roepen, 'ben je

eruit meid?' Tiny liep naar Ernest's deur.

'Ik zit even hier,' riep ze.

'Oh,' Truus voelde zich gepasseerd, 'wat moet je daar?'

'Ik praat even met die meneer,' zei Tiny.

'Oh,' zei Truus, 'nee ik hoorde de voordeur niet dicht-slaan ik dacht bij mijn eigen...'

'Nee mop niks aan de hand hoor,' stelde Tiny haar een beetje ongeduldig gerust en sloot de deur.

Vragend keek ze Ernest aan. Deze had een korte pauze achter de rug om in na te denken en tot een besluit te komen.

'Ja,' zei Ernest, 'hij was het.'

'Ah jassis,' zei Tiny.

'Hij kwam hier vandaan, hij was hier op bezoek geweest,' zei Ernest.

'Met al die drank?' vroeg Tiny.

'Ja,' zei Ernest.

'Van u?' vroeg Tiny ongelovig.

'Ja,' knikte Ernest.

'Had ie zich zeker opgedrongen aan u,' zei Tiny.

'Een beetje,' zei Ernest.

'Ik wist niet dat u omgang had met... met...'

'Nee,' zei Ernest geschrokken, 'geen omgang,' maar nu begreep Tiny weer niet zo goed waar híj het over had.

'Oh dàt,' zei Tiny ineens, 'néé daar denk ik helemaal niet aan. Dat kwam niet in me op.' En daarmee was Tiny op een ijzersterk idee gebracht. 'Dus dat is een poot,' zei Tiny.

'Dat weet ik niet,' zei Ernest resoluut.

'Nou lèkker is ie niet.'

Ernest zweeg.

'Hoe moet dat nou.'

'Wat?' vroeg Ernest.

'Laat maar,' zei Tiny, 'u kunt het niet helpen. Maar als uw ouders soms weer een werkster nodig mochten hebben.'

127

'Ik zal het ze vragen,' zei Ernest en toen leken alle woorden die ze bedenken konden erover vuilgemaakt te zijn.

'Ik zeg niks tegen Truus, u?'

Ernest weifelde.

'Truus is haar eigen niet op het moment,' zei Tiny, 'dus ik laat het maar zo, die heeft al genoeg te verwerken... u?'

'Misschien is dat wel het beste.'

'Truus heeft hulp nodig,' zei Tiny, 'die moet naar de wetswinkel volgens mij want ze heeft geen uitkering. Had ie nou maar geen werk gehad dan ging dat natuurlijk veel gemakkelijker met Truus haar uitkering, nou zal ze wel moeten wachten.'

'Oom Hugo's verzekering moet toch betalen,' zei Ernest.

'Natuurlijk,' zei Tiny, 'maar dat duurt een tijd.'

'Als ik dáármee misschien kan helpen?'

'Neemt ze nooit aan van u,' wist Tiny. 'Nee die heeft haar trots.'

En zo namen ze afscheid. Tiny knipoogde hem nog toe omdat ze beiden ongewild verenigd waren, zij het in een kwade zaak. Ernest's vreugde omtrent zijn eigen vorderingen was enigszins gedempt en hij besloot z'n tentamen nog eens na te kijken.

Hoeveel minder energiek bood Louise de Winter Ernest de volgende dag een stoel op haar werkkamer aan dan de vorige keer. Hoeveel bevender ging Ernest zitten dan bij de vorige gelegenheid.

'Het maakt je er natuurlijk niet rustiger op Ernest om je twee keer te moeten voorbereiden,' zei professor De Winter, 'het spijt me heel erg dat ik je in zo'n vervelend parket moest brengen.'

Daarna stelde Louise hem de eerste vraag. Ernest dacht eerst nog dat hij die vraag niet begreep omdat het er meer een was voor een eerste jaars of gewoon voor iemand die *Reader's Digest* een beetje bijhield in de trein.

'Wat zou je de laatste grote vordering op het gebied van de röntgenbestraling kunnen noemen Ernest?' vroeg mevrouw De Winter.

'Bedoelt u de brandpuntbepaling,' vroeg Ernest aarzelend, 'of bedoelt u de verbeterde stralingsbescherming?'

'Kies maar waar je het over hebben wilt,' zei mevrouw De Winter en ze glimlachte hem bemoedigend toe.

Ernest zag hoe vreselijk moe mevrouw De Winter was en wat zou hij haar graag... ja wat eigenlijk precies? In bed gelegd hebben misschien, een kruik gebracht misschien, haar kussen opgeschud misschien? Maar ja, ze zaten nu eenmaal bij de röntgenstraling en Ernest koos maar voor de brandpuntbepaling. En terwijl hij danig afgeleid was nam hij er en passant de bescherming van het verplegend personeel maar even bij.

'Ernest,' zei Louise de Winter toen en ze keek hem onderzoekend aan, 'ik herinner me opeens dat je dat al verteld hebt en dat we het nog over die tandartsen kregen...

weet je nog? 'En toen leek Louise nog een licht op te gaan: 'Je hèbt me alles al verteld. Nou alles... wat vroeg ik daarna toch ook al weer?'

'Module wiskunde mevrouw De Winter,' zei Ernest verlegen.

'Och jongen,' zei mevrouw De Winter, 'ach wat spijt me dat, dat had je me toch moeten zeggen?'

Verlegen haalde Ernest zijn schouders op.

'Het ging zo goed dat we het over muziek kregen,' herinnerde ze zich nu. 'Nou laat ik in vredesnaam eerst je tentamenbriefje even invullen voordat,' ze aarzelde, 'voordat er wat tussen komt,' zei Louise dapper. 'Het lijkt wel een half jaar geleden dat je hier was, de˙tijd is een raar iets m'n jongen.'

En nu had Ernest zo graag iets opmerkelijks gezegd, iets waar mevrouw De Winter nog uren met plezier over zou nadenken maar er schoot hem niets anders te binnen dan Einsteins relativiteitstheorie en dat leek Ernest waarachtig geen onderwerp waar Louise nog uren met plezier over zou nadenken.

'Wilt u eigenlijk niet liever even met vakantie?' vroeg Ernest toen maar en Ernest had nog geen idee dat dat een onderwerp was waar mevrouw De Winter nog een hele lange tijd over zou nadenken.

'Nee,' zei ze peinzend, 'ik zit eerder met het omgekeerde, ik moet maandag naar Rome en ik kan er niet onderuit. De papers zijn allemaal geplanned, ik ben de tweede ná de opening en het is te laat. Nee dat gaat echt niet,' zei mevrouw De Winter tegen zichzelf, 'òf,' zei ze toen, 'ik zou misschien...'

'Een van uw medewerkers?' hielp Ernest.

'Ja,' aarzelde ze, 'daar dacht ik ook aan maar...'

'Maar?' vroeg Ernest, 'bent u misschien bang dat...?' Ernest haalde diep adem: wie niet waagt wie niet wint dacht

Ernest. 'Mijn vader gaat altijd liever zelf omdat de man die het waar kan nemen altijd zèlf...'

'Oh daar heeft je vader ook last van,' zei Louise enigszins opgelucht, 'ja ik ook, enfin... dat is jouw zorg niet. En bovendien,' zei Louise, 'mijn vrienden verwachten me daar, nee!'

Dat vond Ernest niet zo'n leuk idee.

'Ik heb lang in Italië gewoond.'

'Wat leuk,' zei Louise, 'waar?'

En toen hadden ze gelukkig even een rustig onderwerpje bij de kop waardoor ze een tijdje op adem konden komen.

'Moet u nog koffie, want ik ga weg,' zei de werkster.

'Jij nog?' vroeg Louise.

'Als u ook nog wilt,' zei Ernest en dat werd dus een gezamenlijke bestelling waarop gewacht diende te worden.

'Staat hij op papier?' vroeg Ernest brutaal.

'Wat?' vroeg Louise.

'Die voordracht,' zei Ernest.

'Uiteraard,' zei Louise dromerig, 'ik had hem al klaar, getypt en alles voordat...' hier liet ze het afweten. 'Oh zó bedoel je dat,' zei Louise opeens, 'jij?'

Ernest knikte.

'Je bent niet weinig brutaal,' vond Louise.

Ernest keek beschaamd naar de grond en nam de tijd om spijt te tonen.

'Voorlezen?' vroeg Louise.

Ja knikte Ernest.

'Toe maar,' zei Louise, 'over prothetische tandheelkunde?'

Ernest zweeg.

'Ooit van gehoord?' vroeg Louise.

Nee schudde Ernest.

'Het inplanteren van het gebit in het kaakstelsel?'

Ernest schrok een beetje.

'Er in,' vroeg hij toen, 'zonder vering, blijft dat zitten?'

'Dat is het probleem,' zei Louise, 'daar ga ik het over hebben.'

'Oh,' zei Ernest en zweeg.

'Enfin,' vond Louise, 'waar blijft nou toch die koffie? Enfin,' zei ze toen weer en Ernest keek haar aan. 'Wat is er toch met jou,' vroeg Louise opeens, 'eerst die bloemen?'

'Ik wilde u graag helpen,' zei Ernest en bloosde.

'Meen je dat nou,' vroeg Louise, of heb ik weer met èen rat te doen vroeg ze zich daarna in stilte af en ze bestudeerde hem eens op haar gemak. 'Wat wil je nu eigenlijk precies van me?' vroeg ze toen.

'Ik wou,' zei Ernest, 'dat u naar Rome ging, dat u die lezing hield en dat ik mee mocht.' Ernest had het gevoel vanaf het vrijheidsbeeld in de baai van Manhattan gesprongen te zijn, hij hield eigenlijk nog steeds z'n neus, z'n ogen en z'n oren dicht toen Louise's pauze eindelijk voorbij was en ze glimlachend zei: 'Werkelijk?'

'Dat ik u de Villa Borghese mocht laten zien, palazzo Barberini, de opera en dat we dan zouden gaan eten bij Tre Scalini dat...' Ernest stotterde ervan, 'Madonna,' zei hij toen. Ernest bleef een tijdje in het luchtledige hangen en hield zijn adem erbij in om niet te hard op de aarde neer te hoeven komen.

'Misschien vind ik dat wel 'n aardig idee,' zei Louise peinzend. 'Maar je zult je in elk geval 's avonds zelf moeten amuseren want ik heb afspraken.'

'Geeft niets,' zei Ernest, 'natuurlijk, ik bedoel me niet zo op te dringen dat u...'

'Oh,' zei Louise, 'dat dacht ik even,' en weer glimlachte ze. En die glimlach voegde Ernest aan zijn liefste herinneringen toe en hij nam hem mee in de regen en de kou van de Vondelstraat langs de schilderijenwinkel met de zeegezichten, langs waar Rosa's kapper vroeger was en langs de oude AMVJ en langs Marriot. Door de oostenwind in het Leidsebosje, langs Hirsch tot in lijn 26. Ernest was onkwetsbaar geworden.

Totdat hij thuis was. En daar realiseerde Ernest zich pas dat hij vergeten was te vragen welk vliegtuig hij boeken moest en of er nog plaats zou zijn en bovendien vroeg Ernest zich af hoe of hij aan het geld moest komen nu zijn vader niet in de stad was.

Ernest onderzocht zijn giro en zijn bankrekening. Hij schatte de verkoopwaarde van zijn platen en zijn boeken en keek er vervolgens de vleugel eens op aan. En Ernest realiseerde zich voor het eerst in zijn leven hoe onpraktisch het eigenlijk wel is wanneer men onvoldoende geld heeft voor belangrijke zaken en Ernest liet zich doorverbinden met de Eifel.

'Papa met mij.'

'Dag vriend hoe gaat het met je,' vroeg Leo, 'heb je geld nodig?'

'Ja,' zei Ernest beschaamd.

'Dat gaat niet door,' zei Leo, 'want je vader gaat een heel ander leven leiden.'

Ernest begreep gelukkig net op tijd dat hij hoezo moest vragen.

'Hoezo?' zei Ernest.

'Wij blijven hier wonen, ik ga naar de Open Universiteit zodat ik in de open lucht kan werken,' zei Leo. 'Wij kiezen voor de natuur begrijp je dat?'

'Ja,' zei Ernest. 'Maar...'

'Niets te maren,' vond Leo, 'wij zullen het allemaal wat kalmer aan moeten gaan doen en jij ook.'

'Oh,' zei Ernest, 'maar papa dat wist ik toch niet.'

'Nee,' zei Leo, 'daarom zeg ik het even vóór je vraagt. Hoeveel heb je nodig?'

'Tweeduizend gulden, 'zei Ernest, hij deed er in de haast vijfhonderd af.

'Toe maar,' zei Leo, 'wij leven hier van vijfenzeventig gulden per dag, inclusief het kachelhout. Wij zouden daarvan dus...' hier moest Leo even over nadenken.

'Zesentwintig dagen van kunnen leven,' zei Ernest.

'Ik laat je in elk geval niet voor niets studeren merk ik,' zei Leo. 'Altijd gedacht dat ze je daar het tellen afleerden. Is het belangrijk?'

'Heel erg belangrijk voor àlles,' zei Ernest, 'alles!'

'Hoe bedoel je?' vroeg Leo.

'Ik... ik ga een lezing houden,' loog Ernest.

'Waarover?' vroeg Leo belangstellend.

'Prothetische tandheelkunde,' zei Ernest.

'Hoe bedoel je,' vroeg Leo, 'een gebit, nou al?'

Ernest hoorde aan Leo's stem dat het de goede kant op ging.

'Nee voor jullie,' zei Ernest, iets waarmee hij alles weer leek te bederver..

'Roos wil jij een gebit? hoorde hij zijn vader vragen. 'Rosa wil er ook geen,' zei Leo.

'Papa,' smeekte Ernest, 'toe!'

'Waar?' vroeg zijn vader.

'Rome,' zei Ernest.

'Kan het niet wat dichter bij, om te beginnen,' vroeg Leo.

'Lenen dan,' zei Ernest, 'astublieft.'

'Zeg,' vond zijn vader, 'ga jij alléén?'

Dat was een moeilijke, hoe onwaarschijnlijk ook, daar had Ernest nog niet over nagedacht.

'Ik vraag: ga jij alleen,' hield Leo vol, 'of betaal ik eigenlijk ook je gezelschap?'

'Nee pap,' zei Ernest braaf.

'En waar was je van plan te logeren,' hield Leo aan, 'in het Eliseo?'

'Nee,' riep Ernest, hij begon het er behoorlijk warm door te krijgen voor de goede inval komen wilde.

'Ik moet met het vliegtuig, ik...'

'Zo,' vond Leo, 'bij ons nieuwe regiem hoort de trein, de fiets eigenlijk, is het niet Roos?' hoorde Ernest zijn vader vragen.

'Maar ik moet er maandag zijn,' zei Ernest.

'Als ik me niet vergis is het vandaag donderdag,' vond Leo.

'Zondag is het Oudejaar,' schreeuwde Ernest.

'Wat geeft dat,' vond Leo, 'je kunt heel prettig werken in de trein.'

Daar was Ernest even stil van.

'Nee ik plaag niet Roos,' hoorde hij zijn vader zeggen. 'Hij moest toch werken, hij kon toch niet blijven hier. Ik confronteer een snotaap met de realiteit. Wat zeg je?' zei Leo, nu weer in de hoorn.

'Niets,' zei Ernest, het huilen stond hem nader dan het lachen.

'Zeg op, met wie ga je,' zei Leo, 'Annelies?'

'Nee,' zei Ernest kwaad.

'Dat is jammer,' vond zijn vader, 'want dat vonden wij een aardig kind.'

'Mevrouw Sanders, nou goed,' riep Ernest en gooide de hoorn op de haak.

Ernest realiseerde zich niet dat zijn eigen inzet invloed uitoefende op de tegenpartij. Daarom kwam het geen ogenblik in hem op dat het zijn vader wel eens zou kunnen zijn die hem een half uur later terugbelde. Hij had nog eens met Rosa overlegd. Ernest had toch wel erg zijn best gedaan door twee studiejaren in één te doen. En daarom... enfin dat had Leo willen zeggen maar jammergenoeg was Ernest net de deur uit gegaan om in de mensa te gaan eten en eens rustig na te denken hoe of hij zijn vleugel zou kunnen belenen zonder dat hij deze in het weekend naar de bank van lening zou behoeven te transporteren.

Als Hugo vaker een brief van Wiesje had gekregen dan zou hij het natuurlijk meteen gezien hebben maar nu dacht hij nog dat het misschien een middelbare scholiere was die een scriptie wilde schrijven over de Stichting tot beslechting van geschillen voor de bouwbedrijven in Nederland.

Hugo, schreef Wiesje, ik hoef je niet meer te vertellen hoe ik tegenover je sta. Toch spijt het me dat ik me een beetje liet gaan op dat kantoor van je, ik was vreselijk geëmotioneerd. Ik had natuurlijk moeten weten dat je jaloers was op ons geluk. En Egbert en ik zijn heel gelukkig laat ik dat voorop stellen. Heel wat gelukkiger dan ik met jou ooit geweest ben, Hugo, weet dat wel! Wij willen dan ook niets meer met je te maken hebben. Egbert wil dat wij je helemaal uit ons leven bannen en opnieuw kunnen beginnen samen met de kinderen die helemaal achter ons staan. Egbert is een hoogstaand iemand Hugo. Ook toen moeder stierf liet je niets van je horen. Bah. Ook in de Nicolaaskerk laat je je niet meer zien. Toch hopen wij ondanks alles dat je God niet helemaal vergeten bent. Weet wel dat hij jou niet vergeet Hugo. Wiesje. (De moeder van je kinderen.)

'Wil,' riep Hugo, 'Wil!' En Wil stond al naast hem. 'Lees eens, lees eens,' zei Hugo opgewonden. En Hugo stelde er zoveel belang in dat Wil die brief ongestoord kon lezen dat Hugo nota bene zelf de telefoon opnam: 'Met de Stichting tot beslechting van geschillen voor de bouwbedrijven in Nederland. Een ogenblikje graag,' en Hugo draafde weer terug, in een snelle slalom zigzaggend tussen de plantenbakken.

'Wat zeg je daarvan?'

'Fantastisch,' zei Wil. 'Fantástisch!'

'Ze wil geen alimentatie meer hè,' vroeg Hugo, 'dat lees ik toch goed hè, daar vergis ik me toch niet in?'

'Nee,' zei Wil, 'nee echt dat lees ik er ook uit.' En ze begon Wiesje's brief nog eens fluisterend voor te lezen terwijl Anton de oren spitste en Belinda de machine gelukkig even stil zette.

'Taart,' zei Hugo, 'Belinda haal even taart we hebben iets te vieren.' En Belinda stortte zich al naar het toilethokje om zich even op te frissen om er een beetje leuk uit te zien tijdens het taart halen.

'Wil, Willetje,' zei Hugo en gaf Wil een kus op haar wang net achter de dikke tak van de nieuwe laurier terwijl hij goed oplette of Anton wel net deed of hij op z'n vonnis keek, en dat was zo. En Wil ging als op vleugels de koffiemachine vullen en de gebakschoteltjes halen en Wil vond in de ijskast nog een staartje rum, nèt genoeg voor de drie groten zoals Wil dat altijd noemde want Belinda hield niet van sterke drank. Wil kwakte de hoorn even terug op de telefoon want ze was ruimte aan het maken voor de spulletjes.

'Oh gut,' zei Wil, 'er hing nog iemand aan.'

'Geeft niets,' zei Hugo, 'die belt wel terug.' Oh wat was het gezellig op zijn kantoor vond Hugo en keek verrukt naar buiten over die prachtige gracht de vrieskou in die vooral voor witte mensen zulke ontluisterende eigenschappen heeft als er zon bij schijnt en dat was óók al zo.

'Volgende maand gaan we weer samen eten Wil,' zei Hugo en Wil glunderde. 'Even bellen,' zei Hugo toen en Wil dacht nog een moment dat Hugo meteen ging reserveren, maar Hugo probeerde Ernest te bellen en hij kon natuurlijk niet weten dat Ernest in de bibliotheek van tandheelkunde nèt *Het kunstgebit een blij bezit?* van dr. Warnar Kalk zat te lezen.

En daar kwam Belinda uit haar opfrishokje gezet.

'Geef maar hier,' zei Wil, 'hier zijn de schoteltjes, heb je een mokkapunt voor meneer Kwispel?'

'Nee,' zei Belinda verlegen, 'ik wilde net m'n jas aantrekken.'

'Wat heb je dan in Godsnaam al die tijd gedaan?' vroeg Wil.

En Belinda aapte haar achter haar rug heel ingenieus na en Anton zag maar al te goed wat mooie Belinda daar uitgespookt had in haar opfrishokje en hij knipoogde haar toe.

Korte tijd later zaten ze alle vier hun lievelingsconsumptie te smikkelen. Gelukkig hadden ze gisteren alle vier naar Dallas gekeken zodat er heel wat viel uit te wisselen.

Toen ging de telefoon en Wil zei: 'Met de Stichting tot beslechting van geschillen voor de bouwbedrijven in Nederland goedemorgen,' alsof er niets aan de hand was, alsof ze gewoon gebukt zaten over de vonnissen en dat vond Hugo toch altijd weer zo knap van Wil.

' 't Is voor u,' zei Wil. Hugo haalde zijn zakdoek tevoorschijn en veegde een kloddertje mokka weg dat op een of andere rare manier in de holte tussen zijn wijsvinger en zijn middelvinger terecht was gekomen. En toen slikte Hugo zijn laatste hapje door en zei haast wel even zakelijk als Wil: 'Kwispel.'

Aan de andere kant van de lijn leek veel mee te delen te zijn want Hugo zei geen woord. Hugo keerde zich zelfs een beetje van het gezelschap af. Dat maakte dat Anton en Belinda en Wil een eigen fluister-conversatietje moesten beginnen waar het onderwerp altijd zo moeilijk voor te vinden is omdat men dan toch afgeleid blijkt door wat daar aan die telefoon passeert.

Wil zette eventjes het schoteltje op Hugo's kopje om zijn koffie warm te houden. En Belinda fluisterde met Anton over de bowling waar ze zaterdag geweest was met haar vriendin (zei ze). Maar het bleek niet goed vol te houden zodat ze tenslotte toch met z'n drieën met open mond naar Hugo zaten te kijken.

'Denkt u,' zei Hugo timide. Maar zij kenden Hugo voldoende om te weten dat de andere kant van de lijn het niet alleen dacht maar het ook zeker wist.

'Daar kan ik u zo door de telefoon moeilijk antwoord op geven,' zei Hugo.

Nog meer geboeid keken de anderen toe. Wil leunde zelfs een beetje naar voren over haar bureau.

'Ik zal me eerst in verbinding stellen met mijn advocaat,' zei Hugo, 'ja ik bel u terug. Nee laat u maar, ik bel u terug. Oh, zoals u wilt,' zei Hugo. 'Hoe was de naam die had ik niet verstaan zojuist. Goed,' zei Hugo, 'tot wederhoren.' En hij kletste de hoorn op de haak.

Gespannen keken ze hem aan. Hugo leek erg geschrokken.

'Uw koffie,' zei Wil, 'ik zal er maar een extra scheutje rum in doen.'

'Nee niet doen, ik moet wel bij mijn positieven blijven,' zei Hugo, dus gooide Wil die laatste druppel maar bij Anton.

Hugo was verslagen, dat zagen ze alle drie, maar hoe te beginnen?

Zwijgend wachtten ze af.

'De verzekering,' zei Hugo en hij wreef zich met zijn beide kleine, een beetje dikke vuistjes in de ogen, 'de verzekering weigert uit te betalen.'

'Ach,' vond Wil, 'u kunt toch strakjes wel een nieuwe auto kopen nu u de alimentatie niet hoeft te betalen.' Wil vergat opeens dat ze stilzwijgend overeengekomen waren om Belinda en Anton niets te vertellen over de aanleiding van de taartexplosie.

Nee, schudde Hugo.

Belinda begreep er niets van, dat zag je zó. Maar een ogenblik later had Belinda haar àndere gezichtje al opgezet waarin het oerbesef dat op de bodem van ons bestaan àlles mysterie is te lezen viel. En dat Belinda dàt in haar decolletee met zich meedroeg waar ze ook ging, dat liet geen twijfel.

Hugo keek desperaat naar Wil alsof hij van haar verwachtte dat zij hem wakker zou maken nadat hij naar gedroomd had. Maar daar had Wil natuurlijk meer informatie voor nodig.

'Onder invloed,' zei Hugo sober, de kleine lettertjes.

'Hoe weten ze dat,' zei Wil, 'ze kunnen zovéél denken.'

'Bloedprik zegt ie,' zei Hugo.

'Hebben ze dat gedaan?' vroeg Wil.

'Weet ik niet, dat zegt ie,' zei Hugo.

'Nou dat moet ie dan maar eens bewijzen,' vond Wil.

'Op het politiebureau,' zei Hugo.

'Nou dat zou u dan toch geweten hebben,' zei Wil, maar het viel wel op dat ze dat zinnetje wat verontwaardigder begon dan dat ze het beëindigde. Wil's uitroepteken ging eigenlijk min of meer in een vraagteken over.

Hugo sloeg de ogen neer.

'Oh,' zei Wil.

En geen van beiden merkten ze dat Belinda's en Anton's knie zo hard tegen elkaar aanduwden daar voor dat bureau dat hun stoelen er een tikje door verschoven. Het had een haar gescheeld of ze hadden hand in hand zitten knijpen als bij een hele mooie, hele griezelige film.

'Bluf,' zei Wil, 'gewoon bluf, goed dat u niets gezegd hebt.'

'Ik weet het niet,' zei Hugo. 'Ik werd de volgende ochtend pas wakker.'

'Wie heeft dan die hechtingen gedaan?' wilde ze weten.

'Weet ik niet,' zei Hugo, 'ik moet een black out gehad hebben.'

'Zeg dat wel,' fluisterde Anton.

'Hou je mond,' blafte Wil. Dus losten Anton en Belinda de spanning verder maar weer nonverbaal op.

'Waar kwam u eigenlijk vandaan?' vroeg Wil. Dit was een hamvraag waar Wil al uren aan besteed had maar nooit had durven stellen.

'Mijn neefje,' zei Hugo.

'Heeft die u zo volgegoten en toen in de auto laten stappen? Nou ik weet hoe u op hem gesteld bent,' zei Wil, 'maar dat gaat me toch te ver. Die knaap is al twintig dat is toch een volwassen iemand. Lekkere jongen,' zei Wil, 'leuk hoor.'

'Roos,' vroeg Leo, 'zal ik Van Zutphen vragen of hij ze erop attent zou willen maken?'

'Waarop?' vroeg Roos, ze was net de boerenkool aan het
schoonmaken, straks zou ze hem gaan snijden en daarop
was ze zich eigenlijk geestelijk aan het voorbereiden. Want
Rosa had tot op heden alleen maar gesneden boerenkool gezien en ze vroeg zich af hoe of ze die zo klein zou moeten
krijgen met haar enigszins botte broodmes.

In grote eensgezindheid waren Rosa en Leo op een eco-
nomisch regime overgestapt dat opmerkelijk veel varkenslapjes omvatte en weinig week- en maandbladen. De *Avenue*
was het eerste slachtoffer geworden, temeer daar Rosa niet
van plan was watertandend de luxeuze recepten van Wina
Born haar geestesoog te zien passeren.

'Waarop attent maken Leo?' riep Rosa daarom nog maar
eens naar die royale zitkamer in Buitenveldert.

'Op mij,' zei Leo, 'op de Open Universiteit.' Het werd toch
nodig dat hij er een eigen woord voor bedacht want Leo had
bij het uitspreken ervan steeds associaties met open benen
of andere wonden.

'Wist je dat Van Zutphen daar óók al in zit.'

'Oh dat zal wel,' zei Roos. 'Nee dat zou ik niet doen.'

'Wie dan wèl?' vroeg Leo.

'Zou je eerst niet eens informeren hoe het daar precies toe-
gaat,' zei Roos.

'Ik kan toch allebei doen,' zei Leo.

Maar Rosa had net besloten de boerenkool aan te vatten
zoals zij haar moeder vroeger de spinazie had zien bewerken
dus dat verstond Rosa niet. En Leo was daar eigenlijk wel
tevreden over want hij verdacht Rosa ervan het proces te

willen vertragen. En Leo had nu eenmaal haast met het land-leven.

'Wat maak je een vreselijk geluid,' zei Leo.

'Het lied van de arbeid,' schreeuwde Roos uit de keuken boven de herrie van haar hakmes uit. 'Dit zal je in de toe-komst elke dag begeleiden,' zei Roos, 'van oktober tot en met april, dus zie maar dat je er vast aan went.' En Rosa deed de keukendeur dicht, wetend dat haar moeder haar destijds ook tot hysterie wist te drijven met haar voorbereidingen tot spi-nazie.

Leo schonk twee glazen sherry in en hoopte dat de keu-ken weer veilig zou zijn als hij daar mee klaar was. Daar-om teutte hij een beetje en waarachtig, ze bleken precies te-gelijk klaar.

'Oh,' zei Roos, 'wat lekker, mag dat wel door de weeks?'

'We zouden de drank toch in Luxemburg halen,' vond Leo 'en de sigaretten. Nee 't is eigenlijk alleen maar op de boerenkool dat we hoeven te bezuinigen.'

'Ook al niet,' zei Roos, 'die komt toch uit eigen tuin?'

'Dat is waar,' herinnerde Leo zich.

'Hoe zou Ernest 't maken?' vroeg Roos.

'Best,' zei Leo, 'geloof dat maar die zit strakjes aan de lasagna en die heerlijke... kom hoe heet dat spul nou.'

'Vitello tonnato,' zei Roos, 'om te watertanden,' en dat deden ze dan ook.

'Zeg,' zei Leo, 'weet je dat het een prachtig gebouw wordt dat regionale studiecentrum?' Ook dat woord vond Leo af-schuwelijk. Het deed hem denken aan een buurthuis met moedermavo en kindercrèche.

'Ja,' zei Roos, 'dat is uitgedacht in de tijd dat er nog geld was.'

'Ik wil wedden dat ik een betere kamer krijg dan nu.'

'Je bènt er toch nooit,' zei Roos.

'Als ik er ben,' zei Leo. En toen ging Rosa de spekjes bakken met mosterd en Leo drentelde wat rond en sloot de keukendeur achter haar.

'Nog een zegen,' zei Roos toen ze wat later binnenkwam, 'dat de lezers niets ruiken.'

'Hoezo?' vroeg Leo voorzichtig.

'Als m'n boek naar spek zou stinken,' zei Roos.

'Maar je schrijft toch voor je plezier?' vroeg Leo.

'Jazeker,' zei Roos, 'maar ik wou het wèl proberen.'

'Alsjeblieft zeg schei uit,' zei Leo. De stemming was opeens bedorven. 'Als Van Zutphen dat onder ogen krijgt, Roos, doe me een plezier.'

'Nou dan verander ik nog wat,' zei Roos.

'Oh nee,' zei Leo, 'je ruïneert me Roos, dat laat je wel hè.'

'Is er hier vrijheid van drukpers of niets soms,' zei Roos, 'we leven niet in Rusland.'

'Nee hier leef je,' zei Leo, 'met mij.'

'Dat leest toch niemand lieverd,' probeerde Roos.

'Nee,' zei Leo, 'alleen Van Zutphen.'

'Nou dan,' zei Roos, 'dan zit jij toch al hoog en breed in de natuur of op je regionale studiecentrum. Arnhem wil er trouwens ook een las ik, dan ga je daar naar toe, wat geeft dat nou.'

'Zoiets achtervolgt je,' wist Leo. 'Schrijf liever wat over jezelf in plaats van dat geroddel over een ander.'

'Volgende boek,' zei Roos en toen zwegen ze, althans dat leek zo.

'Ik vind het misselijk van je, misselijk, ècht waar,' mopperde Leo.

'Pas maar op,' zei Roos, 'anders maak ik er een over je moeder.'

'Rosa,' zei Leo, 'pest me niet zo.'

'Weet je,' vond Roos toen ze achter hun dampende boerenkool zaten, 'in de Eifel daar is niet eens een boekwinkel.

144

Echt niet, heb jij een boekwinkel gezien?'

'Nee die schrijven nog op perkament,' zei Leo, 'je moet in de behangwinkel wezen als je daar wat te lezen wilt hebben. Er wonen toch allemaal Nederlanders Roos, die nemen hun boeken toch mee. En dan wéten ze toch àlles en we zouden toch niets zèggen,' zei Leo en veegde z'n mond af om een slokje wijn te drinken. Rosa zweeg.

'Er staat toch voorin dat niets ergens op lijkt of zoiets,' zei ze toen mokkend. 'Bovendien, de buren lezen niet, iedereen is aan het spitten.'

'Tot ze spit krijgen en dan gaan ze lezen, het is wàt leuk om àlles van je buren te weten,' wist Leo.

'Als Ernest ook vindt dat het niet kan dan doe ik het niet.'

'Ernest is nog niet eens gebóren,' zei Leo, 'nou vraag ik je.'

'Oh ja,' zei Roos, 'dat zal ik je straks eens even voorlezen.'

'Laat maar zitten,' zei Leo, 'ik heb al gegeten en gedronken.'

En zo ging het maar door tot Rosa zei. 'Nou goed, ik schrap Van Zutphen en ik schrap de scène in de broodjeswinkel, ik schrap het strand, de gemeenteraad èn de kinderboerderij, dat is zeventig pagina's.'

'En die in 't bos,' zei Leo.

'Accoord,' zei Roos, 'zesenzeventig.'

'Goed,' zei Leo, 'dan herkent niemand me.' En toen mocht Rosa eindelijk voorlezen: ' "Senti," zei la Signora Elisa, "che bello," en toen luisterden ze allemaal naar de dorpsklok van Cernobbio die plechtig galmde tot hoog in de bergen. En mevrouw Elisa wiegde het kind "biem-bahm" op het klokgelui.

"Ernesto, Ernesto, il campanile di Cernobbio!"

Pieter boog zich over mevrouw Elisa, liet zijn vinger vastgrijpen en bad voor zijn zoon.'

'Ja Roos,' zei Leo, 'waarachtig zo was het.'

145

Welgemoed deed Leo de volgende ochtend zijn dagelijkse proef om de parkeerkaart in de gleuf te duwen en weer bleek zijn arm iets aan de korte kant òf zijn Volvo iets te ver verwijderd van het elektronische bekje. Er kwam echter een hindernis bij, het gleufje lustte Leo's parkeerkaart niet vandaag, het leek net alsof hij wist dat Leo van plan was binnenkort ontrouw te worden aan dit mooie instituut en dat hij daarom Leo's hapje met z'n ijzeren tongetje terugduwde. Leo, die geen ervaring had met baby's die geen spinazie wensen bleef koppig duwen zodat dat mooie, door zovelen begeerde parkeerkaartje bijna een knak kreeg waardoor Leo de hele installatie wel eens zozeer zou kunnen ontregelen dat de lampen er in het Mathematisch Centrum door zouden gaan flikkeren. Maar dat was toekomstmuziek. Na wat halsstarrig doorduwen keek Leo uitgeput voor zich uit naar de roerloze slagboom. Achter hem was een Peugeot aan het draaien en toen zag óók Leo het geniepig kleine bordje waar 'Vol' op te lezen viel. En daarom ging Leo ook draaien. En de Citroën die daar weer achter kwam en de Honda en de Mini. Allemaal tegelijk probeerden ze rechtsomkeert te maken daar op die smalle universitaire inrit, terwijl de portier en de huisbewaarder geboeid uit hun glazen huisje toekeken hoe of ze dat met z'n allen zouden gaan oplossen. Vroeger zou Leo zich over zoiets nogal opgewonden hebben maar Leo had nu wijdere perspectieven zodat hij zijn tegenslagen als het ware in het licht van zijn eeuwig zwijgende bergen zag. En zo cirkelde hij stapvoets en geduldig rond de wetenschappelijke instelling. Hij kwam waarachtig zijn eigen huis weer voorbij en keek eens uit zijn raampje om te zien wat of Roos aan het doen was. Roos zat aan tafel en las de krant.

Het winkelcentrum, dacht Leo, ik zet hem voor de visboer. Dan kan ik meteen eens even kijken wat makelaar Fris in zijn etalage heeft staan. Hij had toch wel het vermoeden dat Roos en hij een tikje optimistisch waren geworden door al die glühwein toen ze de opbrengst van hun huis op ongeveer acht ton hadden geschat.

Alles verliep volgens plan en in de etalage van Fris zag Leo waarachtig dat zij niet de enige in hun straatje waren die op dat idee gekomen waren. Daar stond er een op een voordelig fotootje. Leo dacht waarachtig even dat het zijn huis was. Maar er stond geen vraagprijs bij en Leo was eigenlijk al een half uur te laat dus besloot hij de confrontatie tot op de terugweg uit te stellen.

Leo drentelde langs de slotgracht die de achter- en de zijkant van het betonnen complex omsloot. Het was geen wonder dat in de geschiedenis nogal eens iemand gemeend had op het water te moeten lopen dacht Leo en bekeek het kamerbrede algentapijt dat zich over het oppervlak had uitgestrekt. Maar Leo wist beter, hij nam het trapje naar 'de wilde tuin' langs het piepkleine vijvertje waarin alweer een kunstwerk stond. Het leek een vogelzwerm in onstuimige aanzet tot vlucht, klaar om de wereld te verkennen als het ware. Het zouden ook bommenwerpers kunnen zijn die vol gas van een vliegdekschip afstoven. In elk geval, vond Leo, er zat dynamiek in deze roestvrijstalen sculptuur. Leo keek eens om zich heen en zag twee bomen, zij het in een pril stadium. Eens had een van zijn medewerkers twintig wandelingen uitgezet in de wilde tuin. Elk van die wandelingen had hij een naam gegeven. De wandeling van de witte lelie voerde bijvoorbeeld links om het waterbakje terwijl die van de bloeiende wiedewiet rechtsom ging. De wandelauteur zèlf gaf de voorkeur aan de weideroute die weliswaar gelijk was aan die van de witte lelie doch ruggelings diende te worden uitgevoerd zodat men een totaal ander beeld kreeg van de wilde tuin als men het hoofdgebouw even weg dacht, hetgeen geen probleem mocht vormen voor lieden wier abstractievermogen ver boven het gemiddelde lag.

'Goedemorgen,' zei Leo tegen de secretaresse, zette zijn

koffertje neer en schonk zich een kopje koffie in. Boven het koffie apparaat hing een vers papier 'werk jij ook hier en je kon vroeger zo goed studeren?' Misschien mis ik ze nog straks, dacht Leo.

Maar toen zijn secretaresse zei: 'Van Doornen is al drie keer komen vragen waar u was,' toen was Leo daar niet zo zeker meer van. Zonder antwoord te geven liep hij naar zijn kamertje en belde Van Doornen.

'Ik ben bezig,' zei Van Doornen en Leo keek eens naar zijn post en bedacht zich toen waarom hij eigenlijk een afspraak met Van Doornen gemaakt had. Hij wilde Van Doornen vragen of hij misschien Leo's tentamens wilde afnemen.

'Ik heb eigenlijk wat anders te doen, we hadden een afspraak om half tien,' zo kwam Van Doornen binnen.

'Fijn dat je je even los kon wrikken,' zei Leo, maar bedacht zich toen dat híj het was die Van Doornen iets te vragen had en bond wat in: 'Zal ik koffie laten komen?'

'Ja,' zei Van Doornen, dus het leek niet direct het College van Bestuur waar hij zich mee bezig hield.

'Zeg,' zei Leo en schikte zich zo gezellig mogelijk aan de zijkant van zijn vergadertafel waarvan Van Doornen het hoofd had ingenomen, 'zou jij die tentamens volgende week misschien willen doen voor me want ik moet woensdag naar de commissie reallocatie en naar onderwijs en naar de extra vergadering onderzoek.'

'Woensdag kan ik niet,' zei Van Doornen, 'want woensdag is m'n studiedag.'

'Kun je die niet verzetten?' vroeg Leo.

'Moeilijk,' peinsde Van Doornen, 'moeilijk.'

'Je zou me er een geweldig plezier mee doen,' bedelde Leo.

'Daar gaat het niet om,' zei Van Doornen. En Leo zat net te piekeren waar het dan wèl om ging toen Anke met de koffie kwam.

'Waar ik wèl wat voor voel,' zei Van Doornen, 'is dat ik

die colleges van je overneem volgend jaar.'

Leo schrok een beetje van het feit dat Van Doornen eigenlijk voorstelde om z'n leeropdracht te annexeren.

'Moeilijk kerel,' zei Leo.

'Ik wou trouwens toch mijn pakket openbreken,' zei Van Doornen.

Leo zag dat hij zenuwachtig was.

'Je wat?' vroeg Leo.

'Mijn taak op de helling zetten,' zei Van Doornen, 'ik kom niet aan m'n dissertatie toe.'

Nu was Van Doornen daar al zestien jaar mee bezig dus dat was niet zo'n verrassing voor Leo.

'Daar voel ik niet veel voor,' zei Leo, 'we moeten tenslotte allemaal wat inbinden. Nee, de colleges,' zei Leo en zette z'n bril eens af om in z'n ogen te wrijven, 'die kun je er werkelijk niet bij hebben daarom dacht ik even aan de tentamens hè dan kom je er vast een beetje in.'

'Volgend jaar heb ik meer tijd,' zei Van Doornen hoopvol.

'We zien wel kerel,' zei Leo hartelijk, 'wie weet,' en Leo dacht aan het landleven.

'Nou ja,' zei Van Doornen. 'Mondeling zei je?'

'Uiteraard,' zei Leo, 'wat dacht je: persóónlijke aandacht toch!'

'Misschien zie ik wel een gaatje woensdag,' zei Van Doornen.

'Ja?' vroeg Leo.

'Ik denk wel dat ik het red,' zei Van Doornen.

'Goed,' vond Leo, 'dat is afgesproken?'

Hij zag Van Doornen kwaad worden maar Leo wist dat er niets gaat boven opgewektheid in de onderhandeling.

'Oké,' mompelde Van Doornen mokkig.

'Fijn zo,' zei Leo en stond op ten teken dat het onderhoud beëindigd was.

Ook Van Doornen stond nu langzaam op, leek de deur

149

open te doen en zei toen, de knop nog in de hand: 'Ik wou het toch 'ns in de vakgroep gooien.'

'Wàt?' vroeg Leo geschrokken.

'Mijn takenpakket,' zei Van Doornen.

'Wel ja,' zei Leo en met inspanning van al z'n krachten kreeg hij toen toch nog de reddende ingeving: 'Dat kan mooi op de onderwijsdag in mei, dan gaat toch alles op de helling.' De enige dag in het jaar wist Leo waarop àlles maar dan ook àlles bij het oude bleef.

Woedend trok Van Doornen de deur achter zich dicht.

Leo zuchtte en voelde zich zo moe alsof hij vier uur college had gegeven en weer dacht Leo aan de natuur.

Daardoor kwam het eigenlijk dat hij gedachteloos de telefoon opnam en Van Zutphen's nummer draaide.

'Zutphen,' zei Van Zutphen.

'Zeg met Leo,' zei Leo, 'kan ik even bij je langskomen?'

'Eens even de agenda bekijken,' zei Van Zutphen, 'volgende week woensdag?'

Nee nú, had Leo willen zeggen, maar in plaats daarvan zei hij 'Accoord, hoe laat?'

Als men de spanning die er heerste in die statige Romeinse collegezaal zou afbeelden als in een planetarium dan zou men op de derde rij links van het middenpad welhaast de ster van Betlehem vermoeden, want daar zat Ernest.

De deuren openden zich, het geroezemoes verzwakte en daar verschenen statig schrijdend, arm in arm: il professore Bruno Bottini en la professoressa Louisa de Wienter. Il professore had een pak aan zo licht beige en zo volmaakt geglooid en geplooid dat het niet rechtstreeks uit de winkel kon komen en ook niet uit de stomerij. Nee, daar moest een kleermaker aan te pas gekomen zijn die de zachte wollen stof in één trefzeker gebaar rond il professore's welgevormde gestalte gegoten had.

Tot zover wat de vrouwelijke leden van het gezelschap het eerste opviel. Ernest bijvoorbeeld had een andere volgorde in de waarneming. Hij zag Louise klein, tenger en schrander kijkend van onder haar blond krullende haar dat welhaast door geen kapper getemd leek te kunnen worden (maar dat juist wèl was, maar dat wist Ernest natuurlijk niet). De shawl van Louise's jurk was kunstig vastgeprik met een gouden speld, niet te groot niet te klein, en Louise's jurk bleek een split aan de zijkant te hebben, dat dacht Ernest tenminste, en toen weer niet en toen weer wèl. En dat alles terwijl Ernest nog geen uur geleden zelf het laatste stukje van de rits op haar rug dicht had getrokken.

Inmiddels had Louise een roos gekregen in cellophaan met een zilverkleurig handvat en een lint. En daar zat ze nu mee achter een groene tafel te denken wat of ze met die roos aan moest vangen. En Ernest piekerde met haar mee want Louise moest tenslotte ook haar lezing uit haar handtas halen en naar professor Bottini glimlachen. Want professor Bottini legde de tweehonderd medische fysici uit dat zijn collega Louise uit Nederland niet alleen lieftallig was maar ook wereldberoemd. Dat zij deel uitmaakte van het medisch comité in Houston alwaar zij regelmatig proeven begeleidde waarin men de invloed van gewichtsloosheid op de lichaamstemperatuur der astronauten onderzocht. Dat collega De Winter in Tel Aviv vermaardheid had gekregen door haar onderzoek op het gebied van röntgenstraling en last but not least dat collega De Winter een persoonlijke vriendin van professor Bottini was.

Dat laatste beviel Ernest allerminst natuurlijk. En het kwam een beetje ongelukkig uit dat Ernest nu juist de enige in de zaal was die professor Bottini verstaan kon daar deze een eigen taal van Engels en Italiaans ontworpen had die alleen te begrijpen was voor iemand als Ernest die beide perfect beheerste.

Enfin, eindelijk kwam Louise zelf aan de beurt en Louise zei natuurlijk eerst hoe fijn ze het vond dat ze hier in Rome mocht spreken en professor Bottini's gast mocht zijn vandaag. Louise trok daar echter tot Ernest's grote vreugde slechts een ogenblik voor uit en toen begon zij over de aanhechting van ons tand en kiezenstelsel. De dia's volgden elkaar perfect op, er stond er niet één ondersteboven en Louise wees kordaat met de verlichte aanwijspijl op de diepblauwe scatter diagrammen.

Ernest slaakte een zucht van verlichting toen hij Louise tenslotte 'Thank you ladies and gentlemen' hoorde zeggen en verstrakte weer toen ze daarop vroeg: 'Are there any questions, if so I'd like to give them a try,' en een stralende glimlach de zaal in wierp.

Nu bleken Bottini's helpers voor dit soort calamiteiten te zijn ingehuurd en weldra weerklonk uit een hoek van de zaal het Italiaans dat ontstaan moest zijn tijdens de Romeinse invasie in Groot Brittannië. Ernest zag tot zijn schrik dat Louise er geen jota van verstond en dat ook de simultaan vertaler het af liet weten nu de tekst niet vast stond. Voorts zag Ernest dat Louise danig spijt kreeg van haar opwelling. Daarom zette Ernest zich aan de microfoon en bracht de vraag over aan de spreekster. Een dankbare glimlach was zijn deel en Louise nam uitvoerig de tijd om de vraag te beantwoorden. Daarna herhaalde de procedure zich en bij de vierde vraag moest Louise bekennen dat haar spreektijd ruimschoots voorbij was en dat zij deze zo interessante vraag graag in de pauze persoonlijk met de vraagsteller wilde bespreken.

Ernest kon achter de zaalmicrofoon vandaan komen en toen kwam collega Bottini er weer aan om te zeggen hoe fantastisch zijn Louise gesproken had en hoezeer il Signor op de derde rij hem uit de brand had geholpen, grazie, grazie.

En eindelijk, eindelijk dan werd het vier uur en om vier uur zou hij Louise ontmoeten in de lounge van het Hassler hotel. En om half vijf kwam Louise aangedraafd met de enigszins gekneusde roos in de hand en sprong Ernest uit zijn diepe fauteuil.

'Wat heerlijk dat je gewacht hebt,' zei Louise, 'bestel je iets lekkers dan ga ik even die jurk verwisselen?'

En ze liet Ernest piekerend achter over wat Louise dan wel 'iets lekkers' zou vinden en over wat Louise zou zeggen over die kaartjes voor *Lucia di Lammermoor* die hem in de zak brandden.

'Ik had me niet gerealiseerd dat je Italiaans sprak, wat dom,' zo kwam Louise naast hem zitten, 'je hebt er nog wel gewoond.' En zo kreeg Ernest dan de gelegenheid om Louise wat over zichzelf te vertellen, iets wat toch altijd een van de aardigste bezigheden is als men verliefd is. En uit de interesse waarmee Louise naar hem luisterde zou men denken dat

153

het wederzijds was. Zozeer leek het Louise te boeien dat Ernest opgevoed was door zijn grootvader Thomas en zijn tante Barbara daar vlak bij de Zwitserse grens. En misschien, misschien had Louise wel eens van zijn grootvader gehoord want hij werkte vroeger immers op dezelfde faculteit als Louise? En Louise deed haar uiterste best om Thomas uit de historie van haar faculteit op te diepen dacht Ernest tevreden.

Thomas Wilbrink, dacht Louise, welke ambtenaar zal ooit vergeten wie hem zijn vaste aanstelling bezorgd heeft? En Louise dacht weemoedig aan die aardige Thomas die de wetenschap niet leuk meer vond toen hij van zijn laboratorium naar de vergadertafel werd overgeplaatst.

'Ach laat maar,' zei Ernest.

Louise haalde opgelucht adem.

'Het is al zó lang geleden.'

En Louise haalde om een of andere reden iets minder opgelucht adem.

'Ken je,' (Ernest mocht haar tot z'n vreugde tutoyeren) 'die Bottini al lang?' vroeg Ernest.

'Welnee,' zo stelde Louise hem gerust, 'een jaar of vijf misschien,' en dat vond Ernest behoorlijk lang.

'Mag ik vanavond met je uit?' vroeg Louise opeens.

'Moet je dan niet naar Bottini?' vroeg Ernest.

'Morgen moet ik echt en woensdag; nee dat raad je nooit.'

'Wat dan?' vroeg Ernest.

'De Diabelli vereniging.'

'Nee,' zei Ernest.

'Ja,' knikte Louise, 'ècht.'

'Mag ik mee?' vroeg Ernest.

'Je bent mal.'

'Ja,' vroeg Ernest, 'mag ik?'

'Je weet niet wat je zegt,' vond Louise terwijl ze een flinke slok van haar campari nam. 'Ga liever iets leuks doen.'

'Ik ga mee,' zei Ernest en verslikte zich bijna.

Louise klopte hem op z'n rug.

'Kijk 'ns,' zei Ernest en legde de operakaartjes op tafel.

De verleiding was groot geweest om zich na de tweede acte in de pauze te vergrijpen aan de dunne tosti's, de kleine verse pizza's, de gelaagde sandwiches van sla, salami, ei, tomaten. De risotto hapjes warm en koud con pesce, maar ze hadden zich groot gehouden, Louise om straks te genieten en Ernest uit pure solidariteit.

Ristorante 'Il Tiberio' stroomde vol. Het leek alsof het opera-publiek zich om half elf na de laatste ovaties de schoonheid van de opvoering geheel uit het hoofd had gezet en en masse op het volgende onderwerp overging. Het souper, er werd geroepen, door elkaar gepraat, men wreef zich in de handen en bond de servetten voor. Ernest en Louise vormden het kleinste gezelschap. Niemand scheen zich paarsgewijs op te stellen. Sterker nog er ontstond een onstuimige uitwisseling tussen de diverse tafels, over langs en onder hun tafeltje leek men elkaar toe te spreken. Totdat de ober tafel na tafel het zwijgen op legde door de voorgerechten razend snel te verspreiden.

Het was behaaglijk warm. Louise had een kleur gekregen van opwinding en Ernest van al die verrukkelijke herinneringen aan vroeger en natuurlijk ook door het feit dat hij dat Louise allemaal kon laten zien.

'Vind je het leuk?' vroeg Ernest.

Ja, knikte Louise. Ernest schonk haar nog eens in en toen waren ook zij aan de beurt met de soglio die geurde zoals het alleen in Rome deed en nergens anders wist Ernest.

'Ik heb geloof ik nog nooit zo lekker Italiaans gegeten,' zei Louise, 'eerlijk gezegd dacht ik dat er alleen tussen spaghetti en pizza te kiezen viel.'

Ernest was tevreden. Ernest was ook nog tevreden toen ze samen door de via Firenze stapten maar Ernest was erg ongerust en teleurgesteld toen hij Louise 's nachts in de kamer naast de zijne hoorde snikken. En hij twijfelde... zou hij wel, zou hij niet... Maar hij durfde niet en lag daar erg lang over na te denken en toen durfde hij helemááal niet.

Louise, die zich inmiddels gerealiseerd had hoe vermoeiend het is om met mensen te praten die men niet of nauwelijks kan verstaan, vroeg Ernest of hij het heel vreselijk zou vinden als hij mee zou gaan naar Signora en Signor Patelli die een intiem soupeetje gaven voor la professoressa en voor de Aliprandi's en de Benedelli's en de Corinni's en nog zo wat van die lieve en molto intelligenti professori en hun echtgenoten.

En Ernest hoefde als hij dàt voor Louise wilde doen echt niet mee naar de Diabelli vereniging vond Louise. Het muziekavondje was tenslotte veel overzichtelijker daar muziek een internationaal karakter draagt.

En zo converseerde Ernesto Louise de volgende avond de tien verschillende gangen van het souper door. Louise stelde Ernesto voor als haar begeleider, zoon van een collega en briljant student.

En iedereen begreep maar al te goed waarom la professoressa niet zo laat de straat op durfde in een vreemde stad want het was 'molte molte pericoloso in Rome deez days'.

Ernesto zei dat het hem behaagde haar te mogen vergezellen en men vond het van alle kanten bezien een voorrecht ook hem te hebben mogen leren kennen en was er zeker van dat men in de toekomst nog veel van die lieve knappe dottore zou horen met zijn intelligente uiterlijk, zijn ravissant goede manieren en zijn – Madonna Madonna hoe is het mogelijk – bijzonder goede uitspraak van het Italiaans.

Doodmoe zaten ze tegenover elkaar, elk op een van Louise's twee bedden en dronken uit de wastafelglazen de wat zoet uitgevallen wijn die zij zich 's nachts hadden weten aan te schaffen.

Wat te doen, dacht Ernest net. En toen, opééns, uit het niets kwam er een gevoel van misselijkheid opzetten dat maakte dat Ernest nog net met inspanning van al zijn krachten Louise's badkamertje kon bereiken en in z'n ongeluk het bidet voor het toilet aanzag. Geen wonder dat Ernest zolang wegbleef dat Louise zich ongerust maakte, op kousevoeten naar de deur liep en vroeg: 'Kan ik je ergens mee helpen, kan ik iets voor je doen?'

En zo kwam het dat Ernest 's nachts om drie uur door Louise onder de wol werd gestopt en een kus van Louise op z'n gloeiende voorhoofd kreeg en dat Louise die nacht nog wel twee keer naar hem kwam kijken terwijl Ernest daar – merde merde – niets van gemerkt heeft omdat hij sliep.

In een van de indrukwekkendste huizen van de Via del Corso zwierven la professoressa e il dottore zoals ze elkaar voor het gemak ook maar waren gaan noemen de volgende avond door de marmeren gangen. Her en der nagestaard en toegezwaaid door vlezige putti's die soms slechts aan een enkel handje, voetje of buikje aan het pleisterwerk bevestigd schenen. Bij nader onderzoek bleek er echter hier en daar nog wel een stiekem steunstangetje vanuit hun rugjes richting muur te steken.

Wat fijn, wat fijn om ze te mogen verwelkomen, zei collega Bottini. 'Als zij er – als hij hen bidden mocht – maar niet al te hoge verwachtingen van hadden, men was en bleef tenslotte amateur.' En – en daar stonden ze allen op zoals ze hier zaten – de jonge dottore kon piano spelen en kòn zingen en scusi, scusi cara professoressa hij moèst het hem vragen dan had la professoressa het er maar niet over moeten hebben gisteren.

Ernest keek haar smekend aan maar er leek niet aan te ontkomen.

'Oh wat spijt me dat vreselijk lieverd,' fluisterde Louise en dit zou de eerst keer zijn dat Ernest er enige moeite mee had om aan haar wensen te voldoen.

Het zaaltje: lichtblauw en wit en weer lichtblauw, vriendelijke rococo stoeltjes in een halve maan rond de vleugel. En de dames en heren zèlf. Lichtblauw, wit, wit, wit, donkerblauw, donkerblauw, roze, lila, wit, wit, roze. Er waren waarachtig wel vijf keer zoveel dames als heren zag Ernest (donkerblauw). Hij had wel bijzonder veel plezier van dat pak de laatste maand.

Scusi prego, scusi prego, scusi prego zaten ze dan eindelijk op de twee laatste stoelen van de tweede rij.

Bottini zelf opende met Scarlatti en er werd zachtjes geapplaudisseerd door veertig witte handschoentjes van de twintig dames en de kreetjes van verrukking overstemden Louise's zucht van verlichting.

'Kunnen we echt niet weg?' vroeg Ernest en Louise wees op de rij die gepasseerd diende te worden.

'En nu dames en heren heb ik de eer onze gast...' en Ernest had het gevoel dat collega Bottini erin geslaagd was om hem de pootjes onder zijn rococo stoeltje weg te zagen.

In paniek dacht Ernest aan z'n vader, aan kunstgebitten en aan Rosa. Ernest had de muziek in z'n binnenzak omdat hij gedacht had daar de dooie uren zonder Louise mee op te kunnen vullen ofschoon dat niet gebeurd was.

Ernest liep naar zijn schavot, boog, 'klap, klap, klap' zeiden de handschoentjes. Ernest trok voor de tweede maal deze week de microfoon naar zich toe, sloeg de eerste accoorden aan en zong de treurige maar niettemin internationale ballade die Roos in haar onschuld voor hem gemaakt had.

Goede nacht nu Europa
Laatste nacht en niets te zien
Stervensnacht, lief Europa
Hier en daar nog open ramen,
Hier en daar nog een paar namen,
Hier en daar een man of tien.

Venice is drowning and Paris polluted
Berlin retired and Brussels uprooted
Rome's corruption, Naples' destruction
The pope and the queen
All those cute things you have seen
Europe's mortality
The price of all this
Is a drop, is a sniff, is a piss
of Vitality.

Goede nacht, lief Europa
De gordijnen moeten neer
't Is voorbij, ons Europa
Ik ben bang, niet voor je sterven
Ik ben bang voor wie je erven
En ik weet je kunt niet meer.

Venice is drowning and Paris polluted
Berlin retired and Brussels uprooted
Rome's corruption, Naples' destruction
The pope and the queen
All those cute things you have seen
Europe's mortality
Its sadness, its hail
Is for sale, is for sale, is for sale
for Vitality.

Bellissimo, bis, bis, riepen vooral de dames, oh wat prachtig, oh wat een heerlijk, vrolijk en opgewekt lied was dat van die jonge dottore. Hun eigen Roma kwam er zelfs in voor. Het was toch een verademing om de moed en de blijdschap van de jeugd in hun midden te hebben. En Signora Bottini had zelfs Venezia horen noemen en Napoli, benissimo!

En Louisa klapte zich de handen rood uit schuldgevoel maar óók omdat Louisa trots op hem was tegenover collega Bottini die caro Ernesto zo graag door de vloer had zien gaan.

In de taxi stak Louise haar oprechte bewondering al evenmin onder stoelen of banken en Ernest genoot van het gestegen aanzien. En zo kwam het zo ongeveer dat Louise hem 's nachts vertelde waarom ze gescheiden was en van wie en hoé. En bovendien kon Ernest haar dan eindelijk troosten voor het verlies van die vermaledijde klauteraars, zo dacht Ernest nog steeds over ze, hoewel hij toch heel wat aan ze te danken had. Enfin.

Truus zat wijdbeens op haar bank en keek stuurs voor zich uit.

'Ik moet dat niet,' zei Truus.

'Je moet er uit meid,' zei Tiny.

Sanders knikte.

'Ik moet geen drank.'

'Dan neem je fris,' zei Tiny.

'Ik heb geen zin,' zei Truus.

'Nee dat weten we nou wel,' zei Tiny, 'schiet op doe je pumps aan en een lekker truitje dat met dat zilverdraadje zou ik zeggen.'

'Dat had ik toen aan,' zei Truus, 'dat heb ik weggegooid.'

'Zullen wij dan even samen kijken wat of jij aan zult trekken?' vroeg Tiny.

'Ik ga vast,' zei Sanders en stond op.

'Jij blijft hier tot Truus haar eigen heeft verfrist, wij gaan niet met de benenwagen, wat jij mop,' zei Tiny.

Sanders ging weer zitten.

Moeizaam stond Truus op, eerst schoof ze zich een beetje naar voren zodat haar voeten weer op de grond kwamen en haar jurk opschoof en toen duwde ze zich omhoog.

'Ik doe het alleen voor jullie,' zei Truus zwichtend en sjokte naar de slaapkamer. Tiny achter haar aan.

'Hier,' zei Truus en gooide de driedeursklerenkast open, 'zoek maar uit.'

Tiny vond het kijkje niet oninteressant.

'Ik wacht wel beneden in de wagen,' riep Sanders.

'Jij blijft hier,' zei Tiny, 'wij gaan met z'n drieën naar beneden, wat jij,' en ze knipoogde naar Truus. 'Ik zou zeggen deze,' en ze wees op Truus' witte blouse met de stroken, 'of is dat even te feestelijk? Hoor 'ns,' zei Tiny, 'als je zo kijkt staat niks je goed.'

'Deze,' zei Truus.

'Dat is een ijstrui,' wist Tiny, 'daar kan je niet mee stappen.'

'Ik wil niet stappen.'

'Nee dat zei je al, nou ja maar dan wel een paar kettinkjes en een shawl ik ga 'ns even een lekker shawltje zoeken.'

'Je doet maar.'

'Ik wou er wel wezen voor sluitingstijd,' vond Sanders.

'Meid, wat heb je daar mee gedaan?' zei Tiny bukkend onder het bed. 'Zeg jij bent er toch niet stiekem op uit geweest is het wel, die pumps moeten gepoetst da's geen gezicht.'

'Daar ben ik Jan mee wezen begraven,' zei Truus, 'dat noem je toch geen stappen wel.'

'Schiet maar op,' zei Tiny, 'ik kan 'm nog tien minuten hier houden en dan is ie weg hoor,' waarschuwde ze fluisterend met een knikje naar haar vriend.

'Hij gaat maar.'

Tiny zuchtte en liep, pumps in de hand, naar de keuken. 'Waar is de schoensmeerdoos,' riep Tiny.

'Die moeten niet met schoensmeer dat is suède.'

'Goeie God,' mopperde Tiny, 'goed dat je dat er bij zegt,' en ze begon de modder met het rubber borsteltje te verwijderen boven de gootsteen. Daarna spoelde ze de modder weg.

'Niet met water,' schreeuwde Truus.

'Ga je lekker,' zo kwam Tiny onverstoorbaar de slaapkamer binnen en sloeg de ogen neer toen ze het effect van Truus' onwillige arbeid zag.

'Niet met nat,' zei Truus, 'die moeten niet met nat daar verruïneer je ze mee.'

'Ik deed ze niet met nàt schat,' zei Tiny nadrukkelijk. 'Ik spoelde even je gootsteenbak uit als je het goed vindt.'

162

Truus liet een geteisterde glimlach los.

'Nou kom nou maar waar is je jas,'zei Tiny.

'Gaan we?' zei Sanders en drukte zijn sigaret uit midden in Truus' asbak die eigenlijk meer op een fruitschaal leek maar toch een asbak was gezien de gleufjes.

En zo gingen ze eindelijk op stap. De vrouwen stapten achterin en Sanders reed.

'Ik zal toch 'ns een pet voor je kopen,' zei Tiny van achter tegen haar man.

Truus glimlachte waarachtig en Sanders gaf wat meer gas.

'Mijn sleutel,'zei Truus, 'ik heb m'n sleutels vergeten.'

'Nou dat weer,' zei Tiny, 'ga je lekker?'

'Dan slaapt ze maar op de bank bij ons,' zei Sanders en zo reden ze verder terwijl Truus in haar tas woelde.

'Hebbes,' zei Truus.

Tiny zuchtte.

'Nee toch niet,' zei Truus, 'die zijn van waar ik werk,' en zocht verder.

'Oh zijn we er al?' zei Truus toen Sanders abrupt stopte.

Moeizaam stapte ze uit.

'Heb je alles?' vroeg Tiny behulpzaam.

'Kijk nou 'ns,' zei de dame achter de tap, 'wie hebben we daar, kijk nou toch wat vind ik dat lekker meid dat jij even langs komt. Dat is dat vrouwtje van Jan,' fluisterde ze langs de tap om en het bericht was eigenlijk alleen voor Kees nieuw, de rest hief spontaan het glas.

In een ommezien had Truus een bessen voor zich en twee in bestelling.

'Nou wat zei ik je,' zei Tiny. Sanders had ook een pilsje voor zich en hij knikte naar Tiny's lege viltje ten teken dat zij ook een consumptie van hem mocht gebruiken.

'Die man van haar heeft een auto-ongeluk gehad,' zo werd Kees ingelicht ter linkerzijde; terwijl Truus die rechts zat, deed of ze niets hoorde.

Kees keek eens naast zich.

'Dat is niet mooi,' zei Kees. 'Wat had ie?'

'Een Kadett,' zei zijn buurman.

'Oh,' zei Kees.

'Te pletter tegen eentje die zo zat was als 'n malijer.'

Kees nam Truus eens op.

' 't Is wat,' zei Kees. 'Ik neem ook wel eens wat in, maar...'

'Maar niet zó Kees, daar ken ik je te goed voor.'

Truus keek eens naast zich, haalde een sigaret uit haar pakje Stuyvesant en kreeg meteen vuur van Kees met zijn gouden aansteker en Truus kon zodoende even zijn ringen bekijken en zijn massief zilveren armband. Er steeg een soort damp uit Kees op die Truus wel lekker vond ook al stond haar hoofd er niet naar vanavond.

'Waar zat ie in?' vroeg Kees.

'In de bouw,' zei Truus, 'jij?'

'In- en verkoop,' zei Kees.

'Oh,' zei Truus en blies de rook tot achter de tap.

'Ik heb een mooi wagentje staan voor een vrouw,' zei Kees, 'is dat niks voor jou?'

'Ik kan niet rijden.'

'Een Daf,' zei Kees, 'daar kan een kind in rijden, niks te schakelen, gas en weg is ie.'

'Je kan de pot op met je wagentje,' vond Truus en blies nog eens flink.

'Dan niet,' zei Kees.

'Die is zeker wel mooi de bak ingedraaid,' zo opende Kees opnieuw.

'Niks heeft ie gekregen, niet dàt,' zei Truus, 'voor een mensenleven!'

'Moet je nog een bessen?' vroeg Kees.

'Ik heb nog een bestelling lopen.'

'Voor straks dan?'

'Laat maar komen.'

'Dat kan je niet overlaten,' vond Kees.

'Wat niet?' vroeg Truus.

'Nee, ik zou het wel weten.'

'Wat?'

'Wij helpen ons eigen,' zei Kees, 'in zo'n situatie, en héél zakelijk hoor dat kan ik je wel vertellen. In een half uurtje is het voor mekaar.'

'Meen je dat nou?' zei Truus.

'Ja zeker,' zei Kees, 'ik zeg het maar.'

Ze zwegen.

'Ga je lekker?' fluisterde Tiny.

Truus keek hooghartig voor zich uit en duwde even met haar knie tegen die van Tiny en er kwam een lachje op Truus' gezicht toen ze dat deed en dat zag Kees.

'Hoe heet je eigenlijk?' vroeg Kees en kwam wat op Truus toe.

'Gaat je niks aan,' zei Truus maar ja ze lachte wéér.

'Noem mij maar Kees,' zei Kees.

'Ik heet Truus,' zei Truus.

'Dus nou zit jij zonder wagen,' piekerde Kees.

'Als dat alles is,' zei Truus. 'God wat is het heet hier,' en ze trok aan de boord van haar trui.

'Had je je ijstrui thuis moeten laten,' wist Tiny, 'nou zit je.'

'Toch ben ik blij dat ik er even uit ben,' zei Truus.

'Hè, hè,' zei Tiny, 'dat viel anders niet mee. Ik kon dat mens toch haast niet mee krijgen,' zo lichtte Tiny Kees in.

'Ja het leven gaat door,' zei Kees, 'je kan niet eeuwig in depressie zitten.'

' 't Is pas vier weken,' zei Truus.

'Nou ja dat zeg ik net,' vond Kees, 'daar doe je niemand goed mee. Hij heeft er geen last van hoor,' wist Kees en wees naar boven.

'Ik weet niet eens of je de goeie kant op wijst,' zei Truus

165

en nam een ferme slok.

'Zo is het,' zei Tiny, 'mànnen!'

'Toch mis je ze,' zei Truus, 'dat zal je zien.'

'Ik kan mijn eigen dat moeilijk indenken,' zei Tiny nadat ze even gekeken had of haar man nog bij de fruitautomaat stond.

'Moet je zien, nou draait ie z'n uitkering erdoor.'

'Als hij er niet was had je ook geen uitkering,' zei Truus.

'Zo kan je 't ook bekijken,' zei Tiny, draaide zich nog eens om en bekeek haar Willem iets goedkeurender.

Kees had zich inmiddels hooghartig afgewend.

'Zeg,' zei Truus, 'weet jij wat van verzekeringen?'

'Alles,' zei Kees.

'Krijg ik nou een bedrag in ene,' vroeg Truus, 'of een keer in de maand of zo.'

'Dat hangt er van af.'

'Daar schiet ik lekker mee op,' zei Truus, 'geef nog een bessen. Hoe kom ik dat te weten?' vroeg ze toen.

'Van je verzekering,' zei Kees.

'Die is al geweest.'

'En?' vroeg Kees.

'Weet ik veel.'

'Jij treedt niet op als je 't mij vraagt,' zei Kees hoofdschuddend.

Truus keek hem eens aan.

'Kan die man van je vriendin niets voor je doen?' vroeg hij en knikte naar de fruitautomaat.

Truus boog wat achterover om Tiny's antwoord door te laten.

'Willem en geld da's water en vuur.'

'Zal Kees hier het dan eens informeren,' zei Kees spontaan, nou spontaan, Kees had daar wel even over na moeten denken. 'Alleen informeren,' zei Kees, 'verder kan ik niet gaan.'

'Vanzelf,' zei Truus, 'neem een pilsje.'

'Heb je de papieren?'

En die had Truus bij zich. Om een of andere reden nam ze haar Jan's portefeuille overal mee naar toe.

'Hier,' zei Truus.

'Als ik je een goeie raad mag geven,' zei de buurman van Kees, 'Kees is zó'n jongen hoor, maar je moet nooit je auto-papieren aan hem geven. Neem me niet kwalijk Keessie,' en Kees kreeg een klap op z'n schouder.

'Oh dàn niet,' zei Truus.

'Waar bemoei jij je eigen mee puinbak,' zo stoof Kees op, 'wil jij even mee naar buiten met mij misschien.'

'Geintje Kees,' zei de buurman. 'Alleen het groene brief-je Truus.'

'Oh ik bedoel maar,' zei Kees. En Truus was zo verstandig om alleen het groene papier uit de portefeuille te halen.

'Zeg,' zei Truus, 'waar kan ik jou treffen als ik je nodig heb?'

'Waarvoor heb je mij nodig schat,' zei Kees en knipoogde zijn buurman toe.

'Nou je weet wel,' zei Truus, 'waar je het daar even over had van die zakelijke afwerking.'

'Oh dat,' zei Kees, 'mij tref je hier.'

'Ga zitten,' zei Van Zutphen, 'ik ben zo terug.' En daar zat Leo en keek eens rond in Van Zutphen's mooie kamer. Niet alleen had Van Zutphen een leuker zitje en een grotere vergadertafel, die toen Leo hoogleraar werd trouwens nog werktafel heette, maar ook Van Zutphen's kunstwerken aan de muur waren beter.

Na dit geconstateerd te hebben stond Leo op om wat rond te gaan lopen. Ook dat kon niet in zijn kamertje. Hij kreeg meer en meer het gevoel dat Van Zutphen expres wegbleef en het is altijd moeilijk om een beetje gelijkwaardig uit de bus te komen als men zittend op iemand wacht vond Leo en hij wandelde naar het raam en stak een sigaret op. Het probleem was echter dat Van Zutphen de asbakken uit zijn kamer had laten verwijderen zodat Leo straks in moeilijkheden zou komen, maar enfin, hij stond nu nog te genieten en keek over de huizen. Je kon wel merken dat de stedenbouwkundige die Buitenveldert ontworpen had een ordelijk man was. Men kon er een lineaal langs leggen, de gradenboog kon worden thuisgelaten.

Om een of andere reden deed Buitenveldert vanuit Van Zupthen's kamer Leo sterk aan Eindhoven denken en aan Alkmaar en aan Utrecht en aan Buitenveldert natuurlijk, maar niet aan de Eifel dacht Leo tevreden. Met zijn hand onder zijn sigaret ging hij nu op zoek naar een asbak op Van Zutphen's vergadertafel, op het tafeltje van het zitje, op het boekenplankje, onder het tafeltje van Van Zutphen's zitje en deponeerde op het allerlaatste moment zijn as in Van Zutphen's lege prullebak met het schone plastic zakje waar Leo's as meteen een gat in brandde omdat hij een beetje nerveus met zijn sigaret stond te zwaaien.

Leo begon net grotere problemen te zien in de toekomst toen zich ook een oplossing aandiende in de vorm van Van Zutphen's plantenbak. Hij moest dus wel zorgen dat zijn sigaret op zou zijn voor Van Zutphen terug was en dat viel niet mee want Leo had eigenlijk te doen met een vergelijking met twee onbekenden en daar is men tot op heden nog niet uitgekomen. En daarom besloot Leo zich sterk op de Eifel te concentreren en Van Zutphen brutaalweg om een asbak te vragen straks. Misschien nog wel op datzelfde toontje waar Van Zutphen altijd gebruik van maakte. Van Zutphen wist een ander steeds het gevoel te geven dat hij enigszins tekort schoot en dat was voorzichtig uitgedrukt vond Leo. Daarmee haakte Van Zutphen waarschijnlijk in op het verschijnsel dat de meesten van ons opgevoed zijn met het idee dat wij welhaast een continu crediet bij onze opvoeders hebben lopen waarvan de aflossing wel zeer gewenst is maar nooit volbracht kan worden. Zodat de meesten van ons vrijwel onmiddellijk reageren (respons geven zou Van Zutphen zeggen) wanneer wij daar door wie ook op worden gewezen. Hiervan maakte Van Zutphen vrijwel zijn hele carrière gebruik en men kon hem dat waarachtig niet kwalijk nemen vond Leo omdat men wel heel sterk in de schoenen moest staan om af te zien van een methode waarmee men zo'n overweldigend en continu succes oogstte. Het was wonderbaarlijk hoe een diep inzicht die landelijke omgeving Leo in de menselijke natuur had verschaft en hij drukte zijn sigaret tevreden in de plantenbak uit, dicht bij het kokertje dat in de aarde gestoken het welzijn van de plant weergaf. Hij stak er nog een op. Hoe zou Van Zutphen nu in 's hemelsnaam aan drie schilderijen zijn gekomen? En dat niet alleen zag Leo nu, het waren geen reproducties zoals de zijne. Leo had Breughel gekregen, wel in een mooie lijst dat moet gezegd maar Van Zutphen had nota bene originele plaatjes. En Leo had nooit geweten dat er originelen in het fonds zaten.

'Sorry dat ik je een ogenblik moest laten wachten,' zo kwam Van Zutphen binnen, 'ik moest die aanvrage even de deur uit hebben voor het te laat is.'

Wanneer haal je hem weer op uit Den Haag, wilde Leo vragen maar bedacht op het goede moment dat overmoed tenslotte ook zelden beloond werd en dat hij Van Zutphen wellicht zeer nodig kon hebben.

'Wèl vroeg Leo om een asbak en die zou Van Zutphen laten brengen zei hij en belde zijn secretaresse. Leo kreeg geen koffie van Van Zutphen want Leo had gerookt en Van Zutphen ging op de verste van de vier stoelen van het zitje zitten.

'Ik hoop,' zei Van Zutphen, 'dat we niet te lang nodig hebben want ik heb nog een afspraak.'

'Ik hoop het ook niet,' zei Leo, zij het om andere redenen.

'Ik wilde eens even met je praten over die,' – Leo kon het woord nauwelijks uit de mond krijgen – 'die Open Universiteit. Daar zit je toch in als ik het goed heb?'

'Jazeker,' zei Van Zutphen. 'Wat wilde je weten?'

'Ik zou er wel wat voor voelen misschien,' zei Leo aarzelend.

'Wàt,' zei Van Zutphen, 'maar dat bestuur is al lang en breed gevormd, dat is te laat kerel daar had je eerder bij moeten zijn.'

'Nee,' zei Leo, hij had het danig benauwd en er was nog steeds geen asbak.

'Neem de plantenbak,' zei Van Zutphen en Leo liep er naar toe alsof hij een vogeltje met een gebroken pootje wegbracht.

'Nee,' zei Leo, 'nee niet het bestuur.'

Het zal me een zorg zijn hoe ze het organiseren, wilde Leo zeggen maar dat slikte hij in.

'Ik wil wel 's wat anders,' zei Leo en zag meteen dat hij dat niet had moeten zeggen. Leo zag hoe Van Zutphen hem in het bakje failures legde en op de punt van z'n stoel ging zitten.

'Dat kan ik zo voor je in orde maken kerel,' zei Van Zutphen.

En toen zag Leo hoe graag hij dat voor Leo verzorgen wilde.

'Nee dat is geen probleem,' zei Van Zutphen.

En door die spontane hartelijkheid vergat Leo even de Eifel en zag plotseling zijn vakgroep voor zich. En het was geen prettig gezicht.

'Wacht eens even, het moet natuurlijk wel een verbetering inhouden,' wierp Leo tegen.

'Wat bedoel je?'

'Ik heb meer vrije tijd nodig.'

'Dat zit er wel in,' wist Van Zutphen, 'ja dat is op den duur zeker zo, als het allemaal "rond" is.'

'Ik wil niet dat je het erover hebt hier,' zei Leo.

'Uiteraard,' zei Van Zutphen, 'natuurlijk niet. Maar ik moet het natuurlijk wel daar aan de orde stellen.'

En daarin kon Leo hem geen ongelijk geven.

'Ik bel je zodra ik iets weet,' zo wilde Van Zutphen het gesprek afronden en Leo had het duistere vermoeden dat hij Van Zutphen wel bijzonder goed nieuws had gebracht. En opeens moest Leo met schrik denken aan het boekdrukclubje waar de dames van de hoogleraren gezamenlijk het eigen werk in met de hand gemarmerde kaften uitgaven in oplagen van tien stuks en dat zijn Rosa ostentatief geweigerd had deel te nemen aan die aardige vrijetijdsbesteding. Nee terwijl Van Zutphen hem zo hartelijk de hand schudde had Leo steeds sterker het gevoel dat hij iets helemaal verkeerd had gedaan.

'Het is uitsluitend informatief,' zei Leo.

'Natuurlijk,' zei Van Zutphen, 'uiteraard.'

'Hoe gaat het met je zoon?' zo rekte Van Zutphen nog

even toen hij zag dat Leo in zijn laatste uitspraak toch iets teruggekrabbeld was. 'Ik hoorde, wie zei me dat nu toch,' zei Van Zutphen terwijl hij precies wist met wíé hij het wáár over Leo's zoon gehad had, 'ik hoorde dat het een cum werd.'

'Ja dat zal wel,' zei Leo, 'dat zat er wel in,' terwijl hij zijn hart van vreugde in z'n keel voelde kloppen.

En zo hadden ze allebei iets leuks te vertellen aan hun respectievelijke vrouwen als ze straks thuis kwamen.

In deze wat wankelmoedige stemming liep Leo door de sneeuw naar zijn eigen afdeling. En geen van beide nieuwsberichten, noch zijn sombere vermoeden, noch zijn trots kon Leo aan zijn secretaresse kwijt. Daar was trouwens ook weinig tijd voor want hij werd opgewacht door een klein committee dat in zoverre eensgezind was dat zij dachten, als altijd, dat Leo vandaag wel zeer uitgebreid ontbeten had terwijl Leo het beneden zijn waardigheid vond om te memoreren dat hij al een lang en indrukwekkend 'commitment' achter de rug had op dit vroege uur.

Er waren problemen die beter direct besproken konden worden voor het uit de hand ging lopen vond men. En Leo zag nu ook aan de samenstelling dat hij met de commissie begeleiding zwo-projecten te doen had. De opgetogen betweterigheid fonkelde in de ogen van de student-leden terwijl ook zijn jonge enthousiaste medewerker niet vrij van de koorts was. En Leo's diagnose als zou de meest fervente voorstander van rechtvaardigheid, law, orde en democratie in werkelijkheid de aanstichter van de problemen zijn, leek weer op te gaan. Men spoedde zich naar Leo's vergadertafel.

Het probleem, zo stelde Van Doornen, zat hem hier in dat er een permanent gebrek aan krachtige leiding heerste op Leo's afdeling.

'Dat klinkt me wat fascistisch in de oren,' vond Leo en dacht aan de Eifel.

Er was een gebrek aan overleg, zo viel de enthousiaste jonge medewerker de eerste spreker bij. De studenten knikten hem toe en hun ogen glinsterden alsof ze de Internationale aan het zingen waren.

En daarom had het zover kunnen komen, vond een der studentleden.

'Hoever als ik vragen mag,' zei Leo.

En ook daarmee was het bewijs geleverd dat Leo zich onvoldoende voor zijn vakgroep inzette. Maar ze wilden het hem gelukkig nog wel een keer uitleggen. Het subsidie voor het project maatschappelijke hulpverlening dreigde te worden ingetrokken.

'Jazeker,' zei Leo gerustgesteld dat het onderwerp hem tenminste bekend was.

En dat kwam, zo meende men, omdat Leo op eigen houtje en zonder overleg met de vakgroep een onbekwaam iemand had aangesteld.

Nu wilde het ongeluk dat De Zwaan eigenlijk de enige van zijn vakgroep was waar Leo werkelijk vertrouwen in had.

'Zo,' zei Leo, 'dat is wat.'

'De Zwaan overlegt niet met zijn assistenten en jij al evenmin,' zo legde de enthousiaste jonge medewerker uit en daarom kostte het hèm – èn Van Doornen dat moest hij er eerlijkheidshalve bij zeggen – zeeën van tijd om die assistenten (die zodoende in de lucht kwamen te hangen) enigszins te betrekken bij het vakgroepsgebeuren. En dàt en daar ging het natuurlijk om dat nekte dat project. En daarmee de status van de vakgroep en daarmee, indirect natuurlijk, ook de lopende aanvraag van hemzelf èn die van Van Doornen maar daar ging het nu niet om. Het ging om De Zwaan die zich onttrok aan vakgroepsvergaderingen, en die toch maar gebruik van alle diensten maakte. Het secretariaat, het fotocopieerapparaat en op wiens rekening kwam dat allemaal? Precies, op die van de vakgroep. En wat schoot de vakgroep daarmee op? Precies, niets! De Zwaan hoorde hier niet thuis!

'Amen,' zei Leo, zette zijn bril af, dacht aan de Eifel, prees zich toch enigszins gelukkig dat hij zo stom was geweest om naar Van Zutphen toe te gaan en zei: 'De eventuele stopzetting van het subsidie van de wetswinkels is landelijk. Althans in mijn dagblad stond dat. Maar we zullen waarschijnlijk niet dezelfde krant hebben,' voegde Leo zijn vakgroepsvriend toe. De studenten genoten.

'In de tweede plaats,' zei Leo, 'wil ik hier geen persoonlijke zaken van wèlke medewerker dan ook besproken zien.'

'Het gaat niet om persoonlijke zaken die zijn niet aan de orde geweest.'

'Vat het dan op als een waarschuwing,' vond Leo.

'De Zwaan is onbekwaam, daar gaat het om!'

'Zet dat maar op je spandoek,' zei Leo en hij begreep dat dat niet een opmerking was waarmee hij de stemming lieftalliger maakte. 'De zitting is gesloten,' zei Leo.

'Dat maken wij wel uit,' vond de rechtvaardige.

'Zonder mij dan,' zei Leo.

Roerloos bleef men zitten, de studenten bestudeerden het tafelblad en hielden nauwlettend in de gaten of hun metgezellen en leiders neiging tot opstaan vertoonden.

'Ik vind het heel erg dat het in de vakgroep zo moet gaan,' zei een meisje met vlechten en ze gooide er kordaat een van op haar rug, 'dat er bijvoorbeeld mensen zijn hier die helemaal niet met elkaar praten terwijl het toch... terwijl het toch te gek is... al die volwassen mensen.'

'Ja kind,' vond Leo, 'het is niet anders.'

'Maar het kan wel anders,' zei het meisje dapper, 'als we nu eens met z'n allen om de tafel gingen zitten dan moeten we het toch uit kunnen praten?'

'Er wordt hier al veel te veel om de tafel gezeten,' zei Leo.

'Néé Leo,' vond nu ook de enthousiaste jonge medewerker, 'zo maak je je er niet af met je autoritaire gedoe. Jitske heeft volkomen gelijk.'

'Verdwijn,' riep Leo, 'verdwijn, ga uit m'n ogen!'

En toen pakten ze allemaal hun spulletjes want ze hadden elkaar heel wat te vertellen.

Louise moest eens ernstig met hem praten vond ze en daarom had ze Ernest voorgesteld ter afsluiting van hun Romeinse avontuur samen te gaan eten bij aankomst op Schiphol. Alsof Ernest voorvoelde dat het geen prettig onderwerp zou worden dat Louise ter tafel zou brengen had Ernest nog gebedeld: ' 's Avonds bij Keyzer?'

'Nee,' vond Louise, 'als we aankomen in Panorama.'

'Het is vier uur als we aankomen,' vond Ernest enigszins ontsteld.

'Dat maakt niets uit,' meende Louise, 'we zijn toch een beetje in de war met al dat late naar bed gaan en dat gevlieg.'

'Nou, we zijn niet naar Amerika geweest,' vond Ernest. 'Het is hier precies even laat als thuis.'

Maar Louise bleek niet van haar plan af te brengen. En daar zaten ze dan.

'Muziek,' zei Ernest veelbetekenend toen ze het wonderlijke Schiphol-restaurant binnen stapten. Het leek inderdaad alsof de monotone ballroommuziek, die als een niet aflatende toiletverfrisser uit de luidsprekers vloeide, de intieme en toch zakelijke aankleding overdekte met een landerigheid alsof de atoombom reeds lang gevallen was, terwijl het restaurant om onbegrijpelijke redenen daarvan niet in kennis was gesteld.

'Enfin,' vond Louise, 'het is in elk geval niet te merken hoe laat het eigenlijk is,' en ze keek eens door het rookglas dat de wereld buiten het aanzien van een foto uit de jaren twintig gaf.

'Nee,' vond Ernest, 'het kon ook zes uur in de ochtend zijn.'

'En ook zeven uur in de avond,' zei Louise.

Het wilde niet erg. Ernest bestelde eerst een hors d'oevre en daarna toch maar een omelet. De ober die niet van gekwezel gediend was, vroeg wat of Ernest vervolgens gebruiken wilde en daarom herriep Ernest zijn eerste bestellingen weer en stortte zich in een wat uitvoeriger maaltijd.

'Ernest,' zei Louise, 'we moeten eens praten.'

Het probleem was alleen dat Ernest nog steeds niet rijp bleek voor een ernstig gesprek. En Louise nam een slokje tonic om zich op een nieuwe strategie te bezinnen. En Ernest nam een slokje wijn om te bedenken of hij nog iets wist waarmee Louise van haar plan zou zijn af te brengen.

'Er is straks als ik afgestudeerd ben geen werk voor me,' zei Ernest.

'Misschien kan ik je daar wèl mee helpen,' zei Louise. Maar Ernest had er geen zin in om haar te vragen waar ze hem dan nièt mee zou kunnen helpen en daar zat Louise dus weer.

'Mag ik bij jou op het lab komen?' vroeg Ernest weer.

'Dat is niet verstandig,' vond Louise.

'Maar wèl mógelijk.'

Louise schudde haar hoofd en keek eens rond. Louise dacht aan de stapel post op haar bureau en meende dat die groter werd terwijl ze er aan dacht. Louise zag haar nog ingepakte koffers al in de gang staan en Louise zag ook dat Ernest niet van plan was om terzake te komen.

'Daarnet zaten we nog in Rome,' zei Ernest spijtig. Hij begreep dat hij zijn droom van Louise's laboratorium een ogenblikje uit moest stellen.

'Ja,' knikte Louise, 'en nu hier en,' ze schepte zich wat van de al te gare sperziebonen op uit het zilveren Schipholschaaltje. 'Ernest,' begon ze nog maar eens, 'ik ben je misschien een verklaring schuldig.'

'Nee hoor,' zei Ernest stralend.

'Jawel,' vond Louise, 'ik vind van wel.' En Louise keek peinzend naar de gebakken aardappelen. 'Ik kan, nee ik wil zo niet doorgaan.'

'Hoe niet?' vroeg Ernest, en hij keek er zo onschuldig bij dat Louise waarachtig begon te denken dat ze uit het stenen tijdperk stamde.

'Ik weet natuurlijk niet hoe jullie tegenwoordig leven,' zei Louise.

Maar Ernest lachte en Louise had geen zin om verder te gaan voor ze wist of hij haar eigenlijk uit zat te lachen.

'Je lacht me uit,' zei Louise.

'Nee hoor,' vond Ernest maar het klonk niet overtuigend.

'Op het gevaar af dat je me een... enfin nogal aftands vindt...'

'Nee hoor,' zei Ernest.

'Wilde ik je zeggen dat het niet zo...'

'Hoe niet?' vroeg Ernest.

'Zeg,' vond Louise, 'ik probeer je het een en ander uit te leggen.'

'Ja,' zei Ernest, 'dat merk ik wel.'

'Fijn,' vond Louise, 'dat scheelt weer.'

Daar klonken ze op en het kostte Louise enige moeite om ervoor te zorgen dat er geen spoor van een samenzwering in het gebaar te ontdekken viel. Ernest concentreerde zich op zijn hapje zodat Louise toch het gevoel kreeg dat ze enigszins opnieuw moest beginnen met haar merkwaardige college.

'Bijvoorbeeld,' zei Louise, 'gaat ieder van ons straks naar zijn eigen huis.'

'Natuurlijk,' vond Ernest. En Louise werd er niet zekerder op.

'En morgen en overmorgen ook,' zei Louise.

'En woensdag en donderdag,' zei Ernest.

'En vrijdag en zaterdag,' zei Louise.

'En zondag en maandag,' zei Ernest en veegde z'n mond

178

af. Ze klonken opnieuw.

'...en dinsdag,' zei Louise. 'Amen.'

Ernest knikte tevreden. Louise voelde zich opgelucht en tòch, ze bestudeerde Ernest eens extra, maar ze begreep het niet. Zou het dan werkelijk anders liggen nu?

Ernest scheen te voelen dat hij bekeken werd: 'En woensdag!' zei hij.

Louise concentreerde zich maar even op haar varkenshaasje, er was veel veranderd sinds ze jong was, vond Louise, de varkenshaasjes waren beduidend kleiner, dat wel, maar de rest leek haar toch weer royaler van opvatting dan zij zich herinnerde. En toen moest Louise zichzelf bekennen dat het haar niet alleen verwonderde dat Ernest haar afwijzing zo gelijkmoedig opnam maar dat er nauwelijks sprake van een afwijzing leek te zijn. En Louise werd ronduit treurig toen ze tot de conclusie kwam dat de dienstverlening wel eens omgekeerd uitgelegd zou kunnen worden. Wat Louise niet zag was dat Ernest door z'n oogharen het hele deerniswekkende denkproces nauwlettend in de gaten hield en dat er een tevreden glimlach om z'n mond trok.

'Zeg,' vroeg Louise opeens en ze legde er haar mes en vork voor opzij, 'het was je toch niet alleen om een baantje te doen als ik vragen mag?'

Voor Ernest viel er nu blijkbaar beduidend minder aan binnenpret te genieten. Hij keek geschrokken op. 'Nee,' zei hij, 'ècht niet.'

Maar Louise geloofde hem maar half.

'Je begon er anders wel over,' zei Louise.

'Ik dacht aan een manier om je wat vaker te kunnen zien,' zei Ernest. En hiermee bracht hij Louise's hypothese weer enigszins in het ongerede.

Louise nam een kleine pauze om na te denken. Maar het viel niet mee om helemaal op orde te komen. Had het hem dan niets gedaan, vroeg Louise zich af, maar het kwam haar toch wat bezwaarlijk voor om het te vragen. Hoewel dat dikwijls de manier is om ergens achter te komen; bleef toch het punt dat Louise's nieuwsgierigheid het enigszins aflegde tegen...? Tegen haar angst om afgewezen te worden, dacht Louise dapper. Het zij zo, besloot ze, niet iedereen behoeft zich geroepen te voelen de beker geheel te ledigen.

Maar ook Ernest beging een strategische vergissing.

'Louise,' vroeg hij, 'mag ik je als referentie opgeven?'

'Dat hangt er wel een beetje vanaf waarvoor,' vond Louise.

Ernest bloosde. 'Het zal niet meevallen,' zei Louise. 'Heb je al veel gesolliciteerd?'

'Gaat wel, ik kan er niet meer tegen dat m'n vader zo over geld zit te zeuren.'

'Ach zo,' zei Louise.

Er viel een stilte waarin Ernest geen idee had hoeveel herinneringen zijn Louise wel te verwerken had.

'Hij heeft genoeg,' zei Ernest om de stilte een beetje op te vullen.

En ook dat argument kwam Louise zeer bekend voor.

' 't Is niet alleen dat hij zo gierig is,' klaagde Ernest, ' 't is ook nog dat hij zegt wat ik er precies mee doen moet als hij wat afschuift.'

'En wat moet je er mee doen?'

'Ik moet een feest organiseren voor m'n doctoraal,' zei Ernest, 'een studentenfeest.'

Dat was nieuw voor Louise, ze had haar Xander en Johannes daar waarachtig nooit onder horen zuchten.

'Oh,' zei ze, 'en daar heb je geen zin in?'

'Nee, ik wilde iets veel leukers, ik wilde jou uitnodigen.'

'Ik heb nogal veel te doen,' zei Louise.

'Kun je dan je boekenclubje en je muziekclubje niet een keer afzeggen?' vroeg Ernest.

'Nee.'

'Echt niet?'

'Nee,' zei Louise, 'dat gaat niet.'

'Je durft niet met mij de stad in. Ergens ànders dan?'

'Nee, ook niet ergens anders.'

Ernest zuchtte.

'Heb je niet een rustiger uitspatting voor me met oude mensen zoals ik?' vroeg Louise.

'Je bent niet oud.'

'Oh ja,' zei Louise en zuchtte.

'Ik weet het goed met je gemaakt,' zei Ernest brutaal, 'ik vraag mijn opa.'

'Ja, dat lijkt me leuk om die eens te zien,' zei Louise. Thomas dacht Louise, hoe zou het jou gegaan zijn?

'En m'n vader,' dreigde Ernest.

'Ja, ook leuk.'

'Misschien m'n oom wel die met z'n stomme kop de buurman heeft doodgereden.'

'Wel ja,' zei Louise.

'Ik doe het hoor,' zei Ernest.

'Leuk.'

'En daarvoor maak je je wèl vrij?'

'Jazeker,' vond Louise, 'maar Ernest als je 't niet erg vindt wilde ik nog wat doen vandaag. Zullen we afrekenen?' En Louise streek zich het haar uit het gezicht en het zweet van het voorhoofd en Ernest wreef zijn haar in z'n gezicht en de tranen van teleurstelling uit de ogen.

Thuisgekomen liet Ernest zijn koffer eigenlijk meer uit zijn hand vallen dan dat hij hem neerzette. Vervolgens stortte hij zijn tas ernaast en ging op z'n bed zitten. En omdat hij ook hier zijn donkere krullen gebruikte om z'n tranen af te vegen, daarom begon hij min of meer op een poedel te lijken die een uitstapje in de regen heeft gemaakt. Het was eigenlijk aan de kou te danken dat hij na tien minuten opstond en besloot tot actie over te gaan. Eerst zou hij een douche nemen en z'n gewone kleren aan doen zo besloot hij, maar stuitte daarbij op het probleem dat vrijwel zijn hele garderobe in de koffer zat, voorbereid op alle mogelijke omstandigheden als hij had willen zijn. Nadat hij de kachels had aangezet, vloekend tegen hun beider spaarbranders die dermate veilig waren dat men welhaast pyromaan zijn moest om ze tot branden te verleiden zette hij zijn knie op de koffer die bevrijd open sprong toen hij de klemmen verschoof. De inhoud openbaarde zich alsof het om een educatieve film ging waarin men de bloei der papaver demonstreert door deze haar bloembladeren zo snel uit te laten klappen alsof de duvel die papaver achterna zit.

Na enig woelen vond Ernest zijn ribfluwelen broek en het eenvoudige overhemd, het wollen vest, de sokken en zijn onderbroek waarnaar hij op zoek was. De inhoud van de koffer leek zich inmiddels verdrievoudigd te hebben. De broek had een aantal valse vouwen gekregen die zich zo scherp op de verkeerde plaatsen aftekenden als de bedoelde vouwen nooit hadden bereikt. Dit alles hielp niet mee om Ernest's geestelijk evenwicht weer te herstelllen. Daar kwam nog bij dat Ernest net besloten had zich onder de douche op te houden tot dat zijn kamer een enigszins redelijke temperatuur zou hebben bereikt toen hij bemerkte dat hij in niet aflatende zorg vóór zijn vertrek de stekker van de boiler uit het stopcontact had getrokken.

'Bent u daar?' riep Truus aan zijn voordeur en hij hoorde aan haar stem dat Truus zeker door zou stomen wanneer hij haar niet terstond een halt wist toe te roepen.

'Ik kom straks naar u toe, als ik klaar ben,' voegde hij er nog aan toe in de hoop dat mevrouw De Bruin het subtiele onderscheid zou opmerken.

'In een half uur,' zei Ernest en las net op de aanbeveling van zijn boiler dat men slechts een half uur uit behoefde te trekken om deze weer op volle sterkte te doen functioneren. Gespannen luisterde Ernest of mevrouw De Bruin genoegen nam met zijn voorstel en aan de voetstap waarmee ze zich naar boven bewoog wist Ernest dat mevrouw De Bruin er geen genoegen mee nam maar zich genoodzaakt zag zich tijdelijk neer te leggen bij de situatie.

Zou hij naar bed gaan, bedacht hij zich nog een ogenblik, nee liever zou hij zich opgerold in zijn delsey koffer verstoppen en een vriendelijke voorbijganger verzoeken deze voor hem te willen sluiten.

Aldus worstelend met de materie die zich al even weerbarstig ten opzichte van Ernest leek op te stellen als de liefde zelf vervloekte Ernest mevrouw De Bruin die toch in wezen betrekkelijk onschuldig aan Ernest's ongemak was.

'Dag mevrouw De Bruin,' zei Ernest en nu zag hij pas goed hoe geagiteerd ze was en dat de kans wel bijzonder klein was dat zij hem zou gaan vertellen hoe blij zij was hem weer te zien. Nee, en hoe kon het anders op deze onzalige dag: 'Ik moet jou eens even spreken,' zei Truus en hij hoorde haar stem beven.

'Ja,' zei Ernest en probeerde er nog een vraagteken in te verwerken, maar dat lukte niet zo goed.

183

'Jij hebt een moordenaar in je familie en dat weet jij heel goed,' zei Truus, 'maar jij hield liever je bek hè, meneer de student. Een bloedhond,' zei Truus, 'een psychopaat.'

'U bedoelt mijn oom,' zei Ernest en merkte dat zijn handen vochtige plekken op de leuning van Truus' lederen tweezits achterlieten.

'U bedoelt mijn oom,' bouwde Truus hem na en Truus trilde zo dat hij de zoom van haar rok zag beven. 'Wie anders, of heb je er meer, kan ik soms kiezen wie van jouw mooie familie ik bedoelen zal als ik het over een moordenaar heb, wel? Twee mensen levenslang invalide gemaakt en één dood, tel uit je winst en dat loopt vrij rond, vrij. Weet je wat jullie moesten doen,' zei Truus, 'weet je dat, je moet een nieuwe wagen voor hem kopen en een paar flessen cognac. Dàt is wat er bij jou over de vloer komt schorem dat je bent,' zei Truus, 'met je praatjes! Daar ga ik nou voor naar de slager,' en dat laatste scheen Truus zo te ontroeren dat ze begon te snikken. Ernest had het gevoel met twee componenten lijm aan de bank vast te zitten.

'Schorem,' riep Truus schor. 'Lijkenvreters. Drie gezinnen naar de verdommenis geholpen,' huilde ze. 'Maar ik zal jou wat vertellen,' kon Ernest nog net verstaan, 'jullie zijn niet van Truus af. Al kom ik er voor in de Bijlmerbajes, jullie zullen weten met wie of je te maken hebt. Levenslang heb ik ervoor over,' snikte Truus, 'levenslang, òf langer, het kan me niks verdommen.'

'Dat kan niet,' zei Ernest.

'Wat niet,' wist Truus tussen twee snikken uit te brengen.

'Langer,' zei Ernest, het leek hem het enige houvast.

'Langer dan wat.'

Ernest zweeg.

'En weet je wat ik niet voor mogelijk hou dat is dat jij daar bij de begraving van mijn Jan staat met je schijnheilige smoel, waar haal je de moed vandaan, waar háál je de moed vandaan,' huilde Truus. 'Je bent nog erger dan... je bent nog erger dan...'

Ernest deed zijn best om iets heel ergs te verzinnen maar ook hem wilde niets te binnen schieten. Lijkbleek, met open gesperde ogen, zat hij haar aan te kijken.

'Doe je bek dicht,' snikte Truus, 'het tocht.'

Dat kon Ernest nog net voor elkaar krijgen en hij probeerde te slikken maar dat lukte nu weer niet.

'Wat kan ik voor u doen,' fluisterde Ernest.

'Wat hàd je,' snikte Truus.

'Wat kan ik doen,' vroeg Ernest en probeerde zijn hele gestudeerde verstand ervoor in te zetten om te bedenken wat of hij voor mevrouw De Bruin zou kunnen doen, maar zoals we al eerder moesten constateren biedt dat slechts uitkomst in een zeer gering aantal omstandigheden.

'Is ie van je vader of van je moeder,' vroeg Truus opeens.

'Wie?' vroeg Ernest.

'Wie zou ik bedoelen, de gasman?'

'Nee,' zei Ernest, 'geen van beiden.'

Nu was het Truus' beurt om op te kijken. Even leek er twijfel in haar op te komen.

'Hij was de man van mijn vaders zuster.'

'Wàt,' zei Truus.

'Mijn vader heeft een zuster,' legde Ernest uit en hij had nog helemaal niet in de gaten dat zich een ontsnappingsmogelijkheid aanbood.

'Nou èn,' zei Truus, 'wat kan mij dat verrekken?'

'En die zuster...' wilde Ernest zeggen maar het antwoord van Truus deed hem afzien van verdere uitleg.

'Je vader had een zuster,' zei Truus, 'zijn vader had een zuster, oh God,' en ze begon zo te huilen dat Ernest besloot te wachten.

Het kwam eigenlijk door die pauze dat Ernest zich opeens

bedacht hoe de familierelaties zich strikt genomen tot elkaar verhielden. Maar om een of andere reden vond Ernest het onder de maat om er gebruik van te maken.

'Ik vraag jou wat,' zei Truus. 'Ik vraag van wie die psychopaat is.'

En toen ging Ernest toch door de knieën. 'Hij is niet van ons.'

'Wàt,' zei Truus. 'Jij liegt, jij liegt snotneus, jij hebt het aan Tiny verteld en nou wil je mij een beetje belazeren.'

'Hij is getrouwd geweest, vroeger,' zei Ernest en dat laatste had hij er helemaal niet aan toe behoeven te voegen.

'Hij is acht jaar geleden gescheiden,' zei hij. Ernest had ook kunnen memoreren dat Hugo tien jaar getrouwd was geweest, het is maar gelukkig dat de waarheid zó divers geformuleerd kan worden dat men hem vaker spreekt dan men denken zou.

'Van wie,' zei Truus, 'van wie?'

En Ernest piekerde hoe of hij het nu toch het eenvoudigste zou kunnen uitleggen want Truus zag er nog niet naar uit dat ze helemaal bereid was zich voor het probleem in te zetten.

'Met een zuster van mijn vader,' zei Ernest. Hij vermeed intuïtief te vermelden dat het zijn vaders' enige zuster betrof. 'En die is van hem gescheiden,' zei Ernest en hij meende waarachtig ergens in de verte een haan te horen kraaien.

'Had ie kinderen?' vroeg Truus opeens en Ernest begreep niet waarom Truus dat zo ineens weten wilde.

'Vijf,' zei Ernest.

'En daar heeft ie haar mee laten zitten?'

'Ja,' knikte Ernest.

'En dat laat jij bij jou over huis komen,' zei Truus en uit die hoek had Ernest de narigheid niet verwacht.

Hij zweeg.

'Ik vraag jou wat,' zei Truus, ze was ongemerkt opgehouden met huilen. 'Hè ik vraag jou of jij die moordenaar op de woning hebt gelaten of niet.'

'Ja,' zei Ernest.

'Daar gaat het mij om,' zei Truus. Ze leek een beetje tevreden.

'Daarna heb ik hem niet meer gezien,' fluisterde Ernest, 'echt niet.'

'Nee, moest je niet eens een feestje bouwen dat ie er zo goed vanaf heeft weten te komen?'

'Hoe bedoelt u goed vanaf is gekomen?' vroeg Ernest.

'Dat ie niks mankeerde,' zei Truus, 'helemaal gaaf, dat ie vrij rondloopt en dat ie niks geen schade heeft hoeven te betalen. Hangen moesten ze hem, hangen, langzaam wurgen.'

'En u dan,' vroeg Ernest, 'hij moet u toch betalen?'

En hier begon Truus weer te huilen.

'Mevrouw De Bruin,' zo probeerde Ernest haar aandacht te vangen, 'hij moet u toch onderhouden.' Truus schudde haar hoofd.

'De bijstand ja,' snikte Truus, 'ik kan naar de bijstand dat is alles. En de bijstand komt me de strot uit,' voegde ze eraan toe. 'Als mijn Jan invalide was geweest dan hadden ze betaald, maar nou hij dood is niet.'

'Hoe kan dat nou,' zei Ernest, 'dat is toch...'

Truus keek op.

'En is hij niet naar u toegekomen om u te betalen?' vroeg Ernest.

'Bèn jij nou achterlijk of doe je alleen maar zo,' vroeg Truus.

'Nee ik ben achterlijk geloof ik,' fluisterde Ernest, 'ik zal u betalen, zegt u het maar hoeveel,' zei Ernest.

'Ik haal mijn eigen recht,' zei Truus, 'daar heb ik jou niet voor nodig.'

'Misschien kan het allebei tegelijk,' zei Ernest. 'Ik beloof u dat ik...'

'Dat jij mijn Jan terugbrengt,' vroeg Truus, 'wou je dat zeggen?'

'Nee mevrouw,' zei Ernest, 'maar dat het niet de eerste keer was, dat hij het al twee keer heeft gedaan dat heb ik nooit geweten.'

'Dan weet je dat nou,' zei Truus, 'ga van m'n woning.'

Ofschoon Ernest's kamer heel behaaglijk was geworden inmiddels leek hij er nauwelijks plezier aan te beleven. Ernest's handen trilden en ook z'n knieën leken minder betrouwbaar. Nadat hij eerst even met z'n hoofd op z'n armen op z'n koude bureau had gelegen, trok hij de telefoon naar zich toe en draaide wat beverig z'n vaders nummer.

'De Zeeuw,' zei Leo.

'Met mij,' zei Ernest.

'Zo schavuit, hoe heb jij het gehad?' vroeg Leo.

'Goed pap, goed,' zei Ernest, 'maar mevrouw De Bruin van boven... Wist u dat het de derde keer is van oom Hugo en dat hij haar niets betaalt dat ze van de bijstand...' Ernest stotterde ervan '...ook de verzekering niet,' zei Ernest. 'Dat kan toch niet,' riep Ernest toen het wat stil bleef aan de andere kant.

'Ja,' zei Leo, 'kun je me straks terugbellen?'

'Waarom?' vroeg Ernest 'waarom? Of is zoiets voor jou misschien ook onbelangrijk?'

'Ik kan een beetje moeilijk...' begon Leo.

'Vrijuit praten,' vroeg Ernest driftig, 'dan ga je maar naar de slaapkamer: je hebt toch geen bezoek op je slaapkamer is het wel?'

'Ernest,' zei Leo, 'hou je een beetje kalm – ik bel je vanavond nog terug; ja en groeten van Roos en je oom Hugo.'

'Vertel 'm maar dat ie een schoft is,' schreeuwde Ernest.

'Fijn dat je het zo naar je zin hebt gehad,' zei Leo, 'dàg Ernest!'

Het was een drukke avond voor Hugo en omdat hij nogal wat mensen bij zijn ongeluk meende te moeten betrekken besloot hij in Buitenveldert bus 26 te nemen en even bij Wil langs te gaan. Ook al omdat hij door Leo en Roos min of meer op straat gezet was, zo voelde Hugo dat eigenlijk. Leo zou niets voor hem kunnen doen had hij gezegd, willen doen dacht Hugo daar zat die heks achter. Leo zelf hield immers ook wel van een borrel. Het is toch treurig dacht Hugo hoe een aardige kerel, want dat was Leo toch, zo onder de plak kon zitten. Enfin, dacht Hugo, dat is zijn zorg en door het feit dat Hugo op een haar na van z'n stoel het middenpad van bus 26 opvloog zou hij hebben moeten constateren dat hij in de snelbus zat maar Hugo wist nog niet zoveel van bussen. Wèl vond Hugo dat die chauffeur levensgevaarlijk reed en dat bracht hem als het ware vanzelf terug op zijn oorspronkelijke uitgangspunt.

Zou Wil hem misschien kunnen helpen met een goed idee, daar ging het om vanavond. Hugo was niet van plan om naar bed te gaan voordat hij een goed idee te pakken had, hij zou geen oog dicht doen. En dat Hugo aan Wil moest denken als hij om zoiets verlegen zat was niet zo'n wonder natuurlijk want tot nu toe was het nog altijd zo geweest dat zij er iets op bedacht had als er zich iets naars in Hugo's bestaan aankondigde en dan ging zoiets gewoon niet door. Zo was dat met Wil. Toch een geluk dat hij toevallig wat extra aandacht aan haar besteed had vorige week, daar hunkerde ze naar, dat wist Hugo maar al te goed.

Hij besloot een pilsje te nemen op het Leidseplein en haar even van z'n komst te vertellen. Dat zou ze wel leuk vinden dat hij langs kwam buiten kantoortijd dat wist hij wel zeker.

En dat had Hugo juist bekeken, zij het dat Wil hem niet verwachtte. Om precies te zijn was het een van de eerste avonden dat Wil de keukendeur achter zich dicht had gedaan op het gevaar af dat ze de telefoon dan niet direct zou horen. Ze droogde zelfs nog rustig de laatste pan van haar nieuwe roestvrijstalen v&d-set af en hing de theehoek rustig op het rekje terwijl de telefoon al lang en breed ging!

Dus ze had hem ook nog kunnen missen, maar we kunnen tenslotte niet alleen maar ellende hebben vanavond.

'Hugo,' zei Wil verrast. Maar door de blijdschap in haar stem moest Hugo eerst even doen alsof het om een vonnis ging.

'Zèg,' zei Hugo, 'heb je morgen tijd om die zaak voor me te tikken?'

'Natuurlijk,' zei Wil verbaasd en teleurgesteld. Hugo vond nu Wil's enthousiasme voldoende gedempt om over de brug te komen.

'Ik zit een beetje in de problemen,' zei Hugo.

'Hoezo?' vroeg Wil, toch nog gretig.

'Jij bent nogal zakelijk,' zei Hugo.

Dat vond Wil niet leuk.

'Ik wilde je een probleempje voorleggen,' zei Hugo. 'Maar dat gaat een beetje moeilijk door de telefoon, kan ik even langs komen?'

Wil viel bijna van haar stoel van verrassing.

'Natuurlijk,' zei Wil, 'natuurlijk.'

Daarna ontstond er een ongehoorde activiteit in haar zitkamer. De kranten werden weggeborgen, de stoelen werden verschoven. Haar voetenbankje moest aan de kant. De platen netjes op een rij, er werd nog geaarzeld: zou ze wel of zou ze niet? En ja het valt niet te verzwijgen, Wil moest ook een plaatsje voor de verrekijker zoeken in de diepe kast naast de schuifdeuren. En tenslotte koffie maken uiteraard. En toen Wil alles klaar had en ook een ander bloesje had aangetrokken, toen belde Hugo aan.

'Wat woon je hier toch gezellig,' zei Hugo en liep eens naar het raam om naar zijn eigen oude huis te kijken en hij vond het een erg mooi huis. 'Oh dat zijn die stoelen zeker waarover je vertelde,' zei Hugo, 'en dat zijn de kussens die je aan het borduren was.'

Hugo had vanavond buitengewoon veel belangstelling voor Wil. Maar toen ze dan eindelijk zaten, toen kwam het hoge woord eruit. Dat wil zeggen, Wil begreep pas na anderhalf uur hoe hoog Hugo's woord eigenlijk precies was. Wil moest zich ernstig kijkend, zonder Hugo te vervelen met domme vragen en ook zonder hem in de rede te vallen met gezeur over een nieuw kopje koffie nu hij nog vers was, heel wat uit laten leggen.

Hugo's verzekering ging gebruik maken van het regressierecht en dat kon die verzekering doen door middel van een civiele procedure die men tegen Hugo had aangespannen. En men maakte daarbij gebruik van artikel 152 van het wetboek van strafrecht. En Hugo legde haar haarfijn uit hoe of artikel 152 in elkaar zat. En toen had Hugo dan eindelijk een paar nieuwtjes voor Wil van vóór Wil bij Hugo kwam werken. Wil zou wel begrijpen dat Hugo danig in de war was geweest toen zijn huwelijk met Wiesje op de klippen liep. Dat was hem waarachtig niet in de koude kleren gaan zitten. Nou dat kon Wil zich wel voorstellen en toen was het gebeurd dat Hugo kalmeringsmiddelen nodig had. Ook daar kon Wil over meepraten. En toen was het ook wel eens gebeurd dat Hugo een ongelukje had gemaakt met zijn toenmalige Citroën stationcar. En Hugo had er waarachtig het nut niet van ingezien om z'n nieuwe verzekering zijn handel en wandel op het gebied van rollend materiaal uit te leggen. Want hij wilde met een schone lei beginnen omdat Hugo zich ook al van de drank had weten vrij te maken daarom was hij als het ware een heel nieuw leven begonnen. Kon Wil dat een beetje begrijpen? Nou en of zei Wil. En toen, toen kwam het allerergste maar dat kon Hugo haar echt niet vertellen nee dat was zo vreselijk. En Wil zei dat ze Hugo nu al vijf jaar kende en dat het echt zo erg niet zijn kon want Wil kènde Hugo toch? Of niet soms, ze zagen elkaar toch iedere dag!

Enfin, op een avond was Hugo alleen thuis geweest en toen had hij over zichzelf na zitten denken, over zijn leven dus eigenlijk. En Hugo had zich afgevraagd waarom hij toch steeds naar zijn vroegere zwager en zijn schoonzuster toeging, wat hij toch zocht bij die twee mensen. Want Hugo had Wil wel eens verteld hoe of hij tegenover die schoonzuster stond niet waar.

'Jazeker,' zei Wil, 'dat is een naar iemand.'

'Precies,' zei Hugo, 'jou hoef ik het gelukkig niet uit te leggen.'

'En toen,' vroeg Wil, 'wat toen?'

'En toen,' zei Hugo, 'toen realiseerde ik me opeens dat ik eigenlijk alleen voor Ernest kwam.'

'Uw neefje.' Ze zei van de consternatie opeens weer u.

'Ja,' zei Hugo, 'voor hem.'

'Ach,' zei Wil, 'en wat dan nog?'

'Ik hou van hem,' zei Hugo en keek haar desperaat aan.

'Welnee,' zei Wil luchtig, 'dat verbeeldt u zich maar, nee hoor,' en Wil moest er eigenlijk om lachen om al die zorgen van Hugo.

'Hoe weet je dat Wil?' vroeg Hugo.

'Welnee,' zei Wil.

'Jawel,' zei Hugo een beetje kwaad.

'Kan niet,' hield Wil vol.

'Waarom niet,' vroeg Hugo.

'Omdat U er niet zo een bent,' zei Wil, 'kom nou! Dat zie ik toch, ga weg.'

'Dat hoeft niet Wil,' hield Hugo vol.

'Onzin,' wist Wil, 'onzin u hebt daar niets van weg, niets.

Maakt u zich maar geen zorgen, dat gaat vanzelf over dat zult u zien.'

' 't Is al twee jaar aan de gang Wil,' waarschuwde Hugo.

'En hij, is híj soms...' vroeg Wil.

'Hij zegt van niet.'

Ze zwegen. Dit laatste nieuws viel Wil een beetje tegen.

'Je begrijpt dat het een schok voor me was,' zei Hugo.

Daar kon Wil gelukkig weer wèl inkomen.

'Ik was als het ware helemaal geobsedeerd,' zei Hugo, 'door mijn problemen, ik wist gewoon niet hoe ik het had, met mezelf dan,' verduidelijkte Hugo. 'En toen was er een samenloop van omstandigheden.'

Wil begreep weliswaar niet aan welk soort omstandigheden ze daarbij denken moest maar ze ging ervan uit dat haar geduld beloond zou worden net zoals zojuist, en waarachtig: 'En toen was ik even afgeleid en daarom lette ik even niet op,' zei Hugo.

'Waarop?' vroeg Wil.

'Op dat mens met dat hondje,' zei Hugo.

'Oh,' zei Wil. 'Hondje dood?'

'Nee,' zei Hugo.

'Die vrouw dan?' vroeg Wil gespannen.

'Nee,' zei Hugo, 'nee was dat maar waar.'

'Wat zegt u nu?'

'Ik zeg was dat maar waar,' zei Hugo, 'nee dan zou ik nu niet in de problemen zitten, dat kost niks, nee ze heeft iets aan haar been. En dat buit ze uit. Volgens mij liep ze al moeilijk,' zei Hugo, 'maar ja bewijs dat maar eens. Nee die krijgt een uitkering,' zei Hugo, 'levenslang.'

'Oh jee,' zei Wil. 'En dat moet u betalen?'

'Ja.'

'Maar u bent toch verzekerd?' vroeg Wil.

'Dat zou je denken ja,' zei Hugo, 'maar ze gaan beslag leggen.'

' 't Is niet waar,' vond Wil.

'Jawel. Dat wijf dat krijgt iedere maand geld voor dat been van haar en nou moet ik dat betalen, waar ben je dan verzèkerd voor vraag je je af,' en Hugo wreef zich vermoeid over het gezicht. 'Beslag.'

'Waarop?' vroeg Wil.

'Op m'n salaris. Ik kan niet eens meer blijven wonen waar ik woon. M'n auto ben ik al kwijt, m'n rijbewijs is ingetrokken, wat moet ik nou Wil, zeg jij het maar, wat ik nu moet?'

'Het fonds,' piekerde Wil, 'nee dat kan niet. Salarisverhoging aanvragen misschien?'

'Helpt niet,' wist Hugo, 'beslag is beslag.'

'Verhoging van de autovergoeding,' wist Wil, 'oh nee, sorry,' zei Wil. 'Komt u hier wonen,' riep Wil opeens, 'ruimte zat, ik kook voor u dat is ook voordeliger,' maar haar stem zakte wat af.

'Dat is erg lief van je Wil,' zei Hugo 'maar dan komen de verhoudingen in de war.'

'Hoezo?' vroeg Wil hoopvol.

'Op kantoor,' zei Hugo.

Daar had Wil niet aan gedacht en nu zij er wèl aan dacht nu begreep ze eigenlijk niet wat hij bedoelde.

'Hoe bedoelt u?' vroeg ze.

'Ik kan toch niet,' begon Hugo maar hij maakte zijn zin niet af.

'U zou de bovenetage kunnen nemen,' zei Wil. 'Zal ik iets inschenken, dat hebben we wel verdiend. Vermouth misschien of port of sherry?'

'Is die sherry een beetje droog?' vroeg Hugo.

'Ja hoor, nee van die scherpe krijg ik het aan mijn maag daarom neem ik altijd creamy.'

En dat was het eigenlijk waarom Hugo Wil's aanbod niet met beide handen aannam.

'Sterkte lieverd,' zei Roos in zichzelf terwijl ze Leo peinzend uitzwaaide door het keukenraam. Maar Leo was niet op zoveel medeleven bedacht zodat hij het niet opmerkte. Het zou hem er trouwens nauwelijks geruster op gemaakt hebben. Leo gaf er de voorkeur aan slechts dat deel van zijn omstandigheden in ogenschouw te nemen dat hem nog nèt geen fobie bezorgde. En dat had hem al zo dikwijls gered dat hij er ook nu geen behoefte aan had de situatie in z'n geheel te willen overzien.

'Daar gaan we dan,' zei Leo tegen zichzelf. Terwijl hij zijn auto startte smoorde hij de nieuwslezer in de laatste ontslagen, zette zelf nog enigszins schor het 'Allons enfants de la patrie' in en gaf gas.

Zo energiek trok Leo vanmorgen ten strijde dat hij op een haar na als eerste van deze mooie vrijdag scoorde tegen de Sunbeam van de secretaris van het College van Bestuur. Een tikje dom was dat wel van Leo want hij diende na al die jaren toch wel te weten dat wie de zij-uitgang van het wetenschappelijk plantsoen uitreed door de geparkeerde auto's als blindganger aan 's Heren Zegen werd overgelaten. Enfin.

'Goedemorgen,' zei Leo. De opkomst was bijzonder groot vanmorgen constateerde hij en jawel hij zag de reden daarvan zodra hij zijn post uit het bakje haalde: een besloten vergadering.

'Waarom wordt dat een besloten vergadering?' vroeg Leo.

Het was opeens stil rond het koffiezetapparaat.

'Dat leek ons beter gezien het onderwerp,' zei Van Doornen.

'En wat moet dat hier allemaal,' zei Leo en wees met z'n

koffiebekertje wat al te wild naar de hem omringende studenten. Hun ogen leken tezamen een grote schijnwerper van persoonlijke gekwetstheid te vormen zodat Leo het onderwerp maar even liet rusten en de agenda bestudeerde.

Leo's verbijstering nam hand over hand toe. Niet van het punt van de notulen van de vorige keer (1) schrok Leo en niet van de ingekomen stukken (2). Nee, Leo's bloeddruk liep op door een paar zeer onschuldige agendapunten zoals een punt van orde in te brengen door mr. De Wit (3) en: voorstel tot stemming over het punt van orde van mr. De Wit (4). En vervolgens: korte schorsing van de vergadering (5) en tot slot de motie van de vakgroep (6).

Leo kon maar moeilijk kiezen of hij eerst Van Doornen zou vermoorden of dat onderkruipsel van een De Wit. Hij besloot bij De Wit te beginnen en veegde zich ruw een pad naar het misbaksel dat zich bij het fonteintje ophield. Zijn medewerkers en de studenten loerden gespannen over de randen van de koffiebekertjes en volgden, bakjes aan de mond, zijn bewegingen alsof het om een vallende satelliet ging. Ook zij hielden stil bij De Wit.

'Wat stelt dat voor,' vroeg Leo wijzend naar punt drie.

'Wat bedoel je?'

'Wat is dat punt van orde,' Leo ging toch iets zachter praten maar het was inmiddels muisstil rond het koffieapparaat en de acoustiek had in dit roddeletablissement nooit een bezwaar gevormd wist Leo. De Wit keek enigszins hulpeloos naar Van Doornen en iedereen wist dat zich een nieuwe parsifal had aangekondigd op het nauwe toneeltje. Geïnteresseerd ging men op het andere been staan. Als een geagiteerde weduwe leek Leo op de volgende machthebber af te lopen.

'Het is misschien beter wanneer we dat tijdens de vergadering bespreken,' zei Van Doornen.

'Hoezo,' vroeg Leo, 'mis je nog een stem hier of daar?'

Van Doornen zweeg en ook hij mocht zich van de volle

aandacht van het gezelschap verzekerd weten.

'Wat betekent dat,' schreeuwde Leo, en opeens schoot hem te binnen dat hij net 'Koning het Volk mort' had gelezen en zich misschien iets te zeer met de koning vereenzelvigde.

'Nou kom op,' zei Leo iets rustiger, 'mag de voorzitter van de vergadering weten welk punt hij te behandelen krijgt op deze mooie dag? Nu we hier allemaal zo gezellig bij elkaar zijn.' Leo keek eens rond en miste de drie van de zijgang.

'Het leek ons beter gezien punt vier,' zei Van Doornen alsof hij dodelijk vermoeid was van het veelvuldig uitleggen, 'dat jij het voorzitterschap even aan een ander gaf, gezien punt zes dus.'

'Geen sprake van,' zei Leo.

'Daarom brengen we het ook in stemming,' wist De Wit.

Leo was hem bijna vergeten en draaide zich nu om.

'Daarover wordt niet gestemd,' zei Leo, 'het antwoord is eenvoudig nee.'

'Het kworum is aanwezig,' zei De Wit.

'Dat spijt me dan voor je, dat moet je heel wat moeite gekost hebben,' vond Leo.

'Graag gedaan,' zei De Wit en het kostte Leo de grootste moeite om De Wit niet aan zijn nieuw verworven stropdas op te tillen en hem tegen de stalen kast waarvan de deuren zo handig open stonden aan te donderen. Het eigenaardige was echter dat De Wit er geen idee van had wat hij misdaan had met zijn 'graag gedaan', want De Wit zei dat altijd als hij ergens voor bedankt werd.

'Je kunt kiezen,' vond Leo, 'òf de vergadering gaat niet door of je schrapt die onzin.'

'Zo je wilt,' zei Van Doornen, 'het gaat om punt zes,' en hij lachte Leo vriendelijk toe. Van Doornen zat sinds kort in de vakbond en het zou aan te bevelen zijn geweest als Leo daar ook eens een kijkje had genomen. Dan zou Leo bijvoorbeeld geweten hebben hoezeer er in het rollenspel tijdens de cursus gezwoegd was op de 'give him the ultimate he can swallow' techniek. Maar ja dat is nakaarten natuurlijk.

'Goed,' zei Leo, 'maak even een nieuwe agenda, we gaan beginnen.'

'We hebben al te veel kopieën gemaakt deze maand,' wist Van Doornen.

'De democratie mag daar niet onder lijden,' vond Leo en zuchtte. 'Over tien minuten beginnen we.'

'Waarom,' vroeg Van Doornen, 'we zijn er toch allemaal?'

'Gun me een kleine lobby,' zei Leo, 'jij hebt er tenslotte een week over mogen doen,' en hij stoof de zijgang in.

Opgewonden stond Leo opeens in de serene werkkamer van de drie enige gezagsgetrouwen. Aan dezen leek de crisis volkomen onopgemerkt voorbijgegaan te zijn. Verwonderd keken ze op.

'Doe me een plezier,' zei Leo, 'en wees zo goed vanmorgen een kort bezoek te brengen aan onze vakgroepsvergadering.'

'Waarom?' vroeg De Zwaan die het dermate aan sociale intelligentie leek te ontbreken dat hij niet eens had opgemerkt dat er groepsconsensus was ontstaan omtrent het opheffen van zijn functie.

'Voor de sfeer,' zei Leo.

'Ik heb geen zin in dat gezever,' zei de aardige assistente van De Zwaan.

'Heb je stemrecht?' vroeg Leo.

'Ik geloof van niet. Heb ik stemrecht?' vroeg ze.

De andere twee wisten geen uitkomst te brengen en keken Leo vragend aan.

'Daar ga je dan maar van uit,' zei Leo. En zo legden ze hun pennen neer, zetten de terminal uit en slenterden als drie moedeloze krijgsgevangenen de arena binnen.

Het was inmiddels aardig druk geworden in het zaaltje waarvan de ramen nog steeds niet open gingen ondanks Leo's veelvuldige verzoeken op de daartoe geëigende formulieren.

'Dames en Heren,' zei Leo en het duurde nog geen twee minuten of de eerste twee punten waren achter de rug, zo graag wilde iedereen aan het oude punt zes, dus het nieuwe punt drie, van de vergadering toekomen. En dat laatste zag Leo Van Doornen notuleren en hij haalde diep adem en dacht aan de Eifel.

De motie bleek er een van wantrouwen te zijn en ofschoon elk van de twintig genodigden het stuk van Van Doornen geen herlezen had, wilde Van Doornen het heel graag toelichten.

'Is dat nodig?' vroeg Leo. En ja dat was noodzakelijk. En daar ging Van Doornen, Leo keek eens op z'n horloge, zette zijn bril af en bestudeerde het plafond, Leo had eigenlijk wel trek in koffie, vooral nu hij zijn studentenfractie eens nader bekeek. Van Doornen moest ze uit de bibliotheek gehaald hebben vanmorgen, of uit de kantine. Leo kende er niet één van. En dàt kon hij Van Doornen nu eens niet kwalijk nemen, want Leo had zelf weleens stiekem een student uit de toiletten gehaald om aan het vereiste aantal stemmen te komen.

De vakgroep was onbestuurbaar geworden – Van Doornen was gelukkig al bij punt C – door het autoritair optreden van Leo waaraan ieder menselijk aspect ontbrak. Daardoor had de vakgroep al heel lang gemerkt dat Leo niet àchter ze stond en dat hij hun belangen veronachtzaamde door gemene zaak te maken met niemand minder dan Van Zutphen, een notoir tegenstander van de vakgroep. Die geen gelegenheid voorbij zou laten gaan om de poten onder de stoelen van onze vakgroep weg te zagen vond Van Doornen en hij keek tevreden rond en knikte zijn kamerbrede meerderheid toe.

'En dan het laatste punt,' zei Van Doornen en dat begreep Leo niet want ze waren nu op pagina vier van de motie en volgens Leo was de motie klaar en was hij aan de beurt om wat hij gisteravond nadat ze Hugo de deur uit hadden gezet met Rosa doorgenomen had te berde te brengen.

Maar Van Doornen ging er eens even voor verzitten omdat die stoelen eigenlijk iets te klein voor Van Doornens' achterwerk waren. Het was verbijsterend vond Van Doornen voor ieder lid van de vakgroep, juist in deze tijd... Leo hield de adem in... er waren geen woorden voor... nèt nu ze één front moesten vormen, wat had hun hoogleraar nodig gevonden? Ook Leo zat rechtop en hield de voorzittershamer zo eigenaardig in de aanslag alsof hij in de Eifel met z'n hakbijl zat te piekeren hoe of hij dat kachelhoutje nu wel aan moest pakken om het in één felle slag te klieven.

'Onze hoogleraar,' zo kraste Van Doornen, 'vindt dit het juiste moment om te vertrekken!'

Dit was blijkbaar ook voor de studenten nieuw. Ze leken naar een vuurwerk te kijken dat de stoutste verwachtingen overtrof.

'Geen overlèg,' krijste Van Doornen, 'de brand erin en wegwezen!'

Dat laatste snapte Leo weer niet helemaal, geïntrigeerd als hij werd door de vraag of Van Zutphen werkelijk zo infaam was geweest om te kletsen.

'U moet weten, dit ter toelichting,' zei Van Doornen tegen de studenten die er in geen jaren zo leergierig uit hadden gezien, 'dat de opheffingskans van een vakgroep met tweehonderd procent toeneemt als de hoogleraar afvloeit.'

Dit nu vond Leo zo een vreemde beschrijving van zijn behoefte aan de rust en de stilte van de natuur, dat hij glimlachte.

'En wat doet onze hoogleraar,' zo kraaide Van Doornen, 'hij zit er om te lachen. Hij lacht jullie vierkant uit.'

Leo trok z'n gezicht zo vliegensvlug bij dat net niet eenenvijftig procent van de stemgerechtigden getuige waren geweest van de waarheid van Van Doornens triomfantelijke observatie. En in de korte pauze welke Van Doornen in zijn inleiding inlaste om het verbijsterende nieuws ook tot die genodigden door te laten dringen die iets minder ervaring met het vakgroepsgebeuren hadden dacht Leo plechtig: het noodlot zèlf heeft hun de weg gewezen. De Here zij geloofd de Here zij geprezen. Wat een verbijsterend mooi ritme zat er in èn het rijmde, als dàt geen ingeving van boven was. En ook al door deze diepzinnige overwegingen kwam het eigenlijk dat Leo wat laat in de gaten kreeg dat men een weerwoord verwachtte. Gespannen bleek men hem daar al enige tijd op aan te kijken.

'Dames en Heren,' zei Leo. 'Collega Van Doornen heeft volkomen gelijk, ik hoor hier niet te zijn en hierbij sluit ik de vergadering.'

En als men dit alles in ogenschouw neemt dan is het toch waarachtig geen wonder dat Leo eenvoudig 'nee' zei toen Hugo even belde om hem te vragen of hij wat studentenhulp kon organiseren bij Hugo's verhuizing?

'Louisa Carissima,' kwetterde Bottini door Louise's telefoon.

'Chi siete?' vroeg Louise beleefd maar eigenlijk wist ze het wel.

'Bruno, cara,' zei Bottini. 'Come sta?'

En Louise vertelde dat ze gelukkig in goede gezondheid verkeerde en dat God geven mocht dat dat met Bruno niet anders gesteld was en daarmee was Louises Italiaanse kennis vrijwel uitgeput en ging ze in het Engels door.

Dit was ook voor Bottini het startsein om op internationaal over te schakelen maar Louise begreep niet zo goed dat ze nu haar Engelse oor aan moest zetten en Bottini gaf qua klank weinig aanleiding om op dat idee te komen.

'Yes,' zei Louise, 'isn't that great.' Louise besloot het verder muzikaal aan te pakken en het was niet moeilijk te bespeuren of het 'isn't that great Bruno' ofwel 'that is too bad Bruno' moest gaan worden. Het blijft een geluk dat de Italiaanse volksaard ingeeft dat men een goed verhaal tenminste drie keer vertelt. Want op het laatst kreeg Louise waarachtig door dat het Bottini's laboratorium was waar het voortreffelijk mee ging, dat hij drie nieuwe dottori aan kon trekken op de isotopenafdeling en dat er tweehonderd – ja Louise verstond het goed: duecente – gegadigden waren.

'That's too bad,' zei Louise. Maar Bottini vond daar meer 'isn't that great' op passen dus legde hij het haar nog eens uit en Louise vond nu ook: 'that's great Bruno aren't you a lucky man.'

En dat vond Bottini ook wel een beetje maar niet helemaal want hij miste Louise en daarom belde hij eigenlijk want Bruno zou óók twee dottori voor een professoressa in kunnen leveren en zodoende.

Het was even stil aan beide zijden van die hele lange draad.

'Bruno,' zei Louise, 'ik bel je terug.'

'Tienk iet over,' zei Bruno.

'I surely do Bruno,' zei Louise. 'Arrivederci!'

Zou Louise hem niet vergeten terug te bellen? vroeg Bruno.

'No way,' zei Louise, 'Ciao Bruno, grazie Bruno! Ciao Bruno.'

'Hè hè,' zei Louise tegen zichzelf, 'ik schrik me dood,' en ze dacht met afgrijzen aan de Diabelli vereniging, die, zo had men haar verzekerd, ook poëzie-avonden belegde waar Louise hartelijk voor uitgenodigd werd. Lieve Bruno dacht Louise: voor geen goud en daarna begon Louise aan het eigenlijke denkwerk, dàt waarvoor ze enig uitstel had gevraagd. Hoe zou ze Bottini Ernest boven aan zijn ranglijst van de tweehonderd dottori kunnen laten plaatsen? Wilde Louise eigenlijk wel dat Bottini daar in Rome Ernest bovenaan zou zetten? Nee, dacht Louise, dat wil ik niet. Ja, dacht Louise dat moèt en Louise haalde Ernest's keurige handschrift weer uit haar tasje:

'Lieve Louise,' schreef Ernest. 'Mag ik je uitnodigen om in het Doelenhotel te komen eten op vrijdag 23 januari. Voor het geval je dan je leesclubje hebt: Rosa heeft een boek geschreven. Verder komt mijn vader, mijn tante en mijn opa. Als ze misschien allemaal nog een beetje te jong voor je zijn dan zou ik graag horen of je met mij alleen zou willen eten, ik weet een restaurant met een dieetkeuken daar kun je in met je 65 + kaart en ik verlang naar je.'

Wat te doen dacht Louise en ze pakte gedachteloos haar briefpapier:

'Lieve Ernest,' schreef Louise, 'zolang mijn gehoorapparaat nog in reparatie is en m'n gebit steeds uitvalt zou ik graag van de dieetkeuken gebruik maken (ook met het oog op het feit dat er geen drempels zijn of nare trapjes). Je Louise.'

En daarna scheurde ze die mooie correspondentiekaart in kleine snippers en nam de volgende:

'Lieve Ernest,' schreef Louise. 'Graag kom ik je doctoraal vieren met jou en je familie en ik vind het erg leuk om mijn leesclubje te vertellen dat ik een echte schrijfster ontmoet heb, dan stijg ik weer een beetje in aanzien. Feliciteer Roos. Ik mis je lieve schat,' en daarop overwoog ze weer of dit kaartje niet ook in de prullenbak moest maar Louise bedacht zich op tijd dat ook Bottini te bellen viel waardoor kleine zonden zoals deze ruimschoots gesmoord zouden worden in de noblesse waarmee Louise de Winter bereid was van haar verlangens af te zien, vond Louise.

Bottini stak zijn teleurstelling niet onder stoelen of banken en werd niet noemenswaardig getroost door het feit dat Louise een giovane dottore van haar geplaatst wilde zien in Rome op zijn isotopenafdeling.

'Prego, prego. Scusi caro Bruno, het is niet anders,' zei Louise.

'Vind je dat nu niet gek Wil, zèlfs Ernest niet.'

'Ach,' vond Wil, 'dan niet, dan doen we het zelf wel.' En daarom stonden Hugo en Wil nu zo verdwaasd tussen al die kartonnen dozen.

'Eerst de boekenkast,' vond Wil.

'In een van die dozen,' wist Hugo, 'zit een schroevedraaier,' en hij ging geduldig staan wachten tot Wil hem gevonden zou hebben.

'U had er beter op kunnen schrijven wat er in zat,' vond Wil, 'ik zal de mijne even van beneden halen.' Dus had Hugo even tijd voor een sigaret waarvan hij de as handig in de wastafel tipte.

'Hebt u de schroeven al gevonden?' vroeg Wil, die hijgend de trap op kwam.

Nee daar had Hugo niet aan gedacht en zo zaten ze dus eigenlijk weer met een soortgelijk probleem dat ditmaal niet door Wil kon worden opgelost.

'Kunnen we niet eerst koffie drinken,' vroeg Hugo. Het was nauwelijks een vraag het was eigenlijk meer zoals Hugo op kantoor zijn voorstellen deed. Hij zou wel heel raar opkijken als Wil nee zou zeggen. Maar daar dacht Wil helemaal niet aan dus dat was weer erg praktisch. En daarom liepen ze naar beneden waar Hugo 'tjonge jonge' handenwrijvend binnen kwam, 'wat heb je het hier gezellig Wil,' zei Hugo. En Wil stond stralend in haar keuken.

'Zo wordt het bij u ook straks,' zei Wil. Dat hoorde bij de secure afspraken die ze gemaakt hadden. Wil zou weer u gaan zeggen, beter voor de zaak. Hugo had nòg een paar eisen vooraf gehad waaronder het feit dat er geen kwestie zou zijn van samen koffiedrinken, samen eten enzovoort.

'Waar zal ik de boekenkast neerzetten Wil?'

'Tegen de muur naast de deur.'

'Het is net alsof hij groter is geworden nu ik al die planken zie,' zei Hugo.

'Dat lijkt maar zo.'

'Denk je dat we het klaar krijgen vandaag, Wil?'

'Oh ja, als we straks even aanpakken samen.'

'Jouw uitzicht is ook mooi,' vond Hugo terwijl hij gedachteloos nog een koekje van de schaal nam.

'Ja,' zei Wil.

'Er gaat toch wel wat door je heen,' zei Hugo, 'als je je eigen huis zo ziet.'

'Dat is toch niet meer van u,' zei Wil.

'Nee,' zei Hugo, 'dat zeg ik net. Dat hele huis, Wil, was van mij.'

Wil knikte.

'Van het souterrain tot aan de zolder Wil,' zei Hugo. 'En moet je me nu eens zien dat is toch wel erg vind je niet?'

'Ja,' knikte Wil.

'Beneden had ik de wijn staan,' droomde Hugo, 'en boven op zolder m'n hometrainer.'

'Dat komt wel terug,' troostte Wil.

'Nee Wil, daar geloof ik niet in, dat komt niet terug. Ik heb het verloren.'

'Kom,' zei Wil, 'dat valt vast wel mee. U begint gewoon opnieuw.'

'Ik ben niet zo jong meer Wil.'

'Nog een kopje koffie?'

'Wel ja,' zei Hugo, 'waar zal ik m'n grammofoon zetten?'

'Naast de bank,' vond Wil.

'Oh ja, wat ben jij toch praktisch. Zou ik niet nog eens bellen om hulp?'

'Op zondag?' vroeg Wil, 'ik zou niet weten wie en bovendien het is zo nauw daar boven met al die dozen. Weet u wat,' zei Wil, 'als u nu straks uw kleren in de kast opbergt dan doe ik uw keukenspulletjes.'

'Vind je 't niet vervelend Wil,' vroeg Hugo, 'dat je nu beneden moet slapen?'

'Niks hoor,' zei Wil, 'dat went wel.'

'Weet je wat ook zo scheelt,' zei Hugo, 'dat ik die werkster niet meer heb.'

'God ja,' zei Wil, 'wie weet kunt u er later nog eens een nemen.'

'Wel ja,' vond Hugo.

'Gaan we?' zei Wil.

En Hugo kwam moeizaam uit zijn stoel.

'Ik voel al m'n spieren, zei Hugo, 'van gisteren nog.'

'Hoe kan dat nou,' zei Wil, 'de verhuizers hebben toch voor u ingepakt?

'Ja,' zei Hugo, 'gek hè.' En daarna werd het een tijdje stil want Hugo moest zich concentreren op de indeling van de klerenkast. En nadat Hugo alles twee keer in en uit gepakt had begreep hij dat er niets anders opzat dan dat hij zijn hemdjes en broekjes op één stapeltje moest leggen en dat zijn zakdoeken nergens anders terecht konden dan in het rommelige sokkenhoekje. Hugo kreeg het er warm van. In Wil's badkamer die nu keuken annex douchehokje was geworden had Wil het niet minder moeilijk. Hugo's pannen waren niet alleen loodzwaar, omdat Hugo zo dol was op sudderhapjes, je kon ze bovendien niet in elkaar zetten omdat ze geen nest vormden.

'Het is jammer,' zei Wil, 'dat die pannen niet in elkaar passen.'

'Ja,' zei Hugo, 'dat komt omdat ik er telkens een in Frankrijk gekocht heb en als je met vakantie bent dan weet je niet zo goed welke je wèl en welke je niet hebt.'

Dat begreep Wil gelukkig.

'Wil,' vroeg Hugo, 'zou jij een rekje voor mijn dassen

kunnen maken aan de binnenkant van de deur.'

'Waar?' vroeg Wil en kwam de kamer even binnen.

'Hier,' zei Hugo, 'en hier een voor de riemen lijkt je dat geen goed idee?'

'Ja hoor,' zei Wil en bedacht zich dat zijzelf al enige jaren met dat goede idee rondliep maar nog nooit de rust had gevonden om tot de daad over te gaan.

'En als je dan meteen een schoenenrekje mee wilt nemen,' zei Hugo, 'dan komt er weer wat ruimte in die kast. Zo,' zei Hugo tevreden, 'die kunnen naar boven,' en gooide de twee Samsonite koffers de overloop op.

'Zoudt u ze niet in elkaar kunnen zetten?' vroeg Wil die de afmeting van de vliering voor zich zag.

'Dat doe ik liever niet want ik neem altijd òf de ene òf de andere mee maar nooit alletwee tegelijk.'

En zo rommelden ze door tot Hugo trek begon te krijgen. Wil, die stilletjes gehoopt had dat ze naar de Chinees zouden gaan was een beetje teleurgesteld dat Hugo best met een blik kapucijners genoegen wilde nemen als Wil er natuurlijk iets lekkers bij had.

En dat had Wil als Hugo tenminste van bacon hield. En dat was ook weer zo dus ze hadden niets te klagen samen.

Zodra Wil naar beneden liep deed Hugo de deur achter zich dicht. En terwijl Wil even de tafel dekte zag Hugo opeens dat het Russisch ballet op de televisie zou zijn vanavond.

'Maar moeten we niet...' zei Wil.

'Het is pas om tien uur,' zei Hugo.

Enfin, dacht Wil dat regelt zichzelf wel. En dat was ook zo. Hugo zou zich morgen best alleen kunnen redden op kantoor dacht hij en dan zou Wil... – als ze het niet bezwaarlijk vond natuurlijk –. Wacht, hij zou haar eens even helpen met afdrogen.

' 't Is al gebeurd,' zei Wil, 'blijft u maar lekker zitten.'

'Hoe is het nou met je Truus,' zei Kees van in- en verkoop.

'Ach God af en aan,' zei Truus en schuifelde naast hem op de kruk.

'Waar was je nou zo overstuur van,' vroeg Kees, – 'Bessen voor Truus.'

'Dat die man geen douw krijgt,' zei Truus, 'ik had gedacht die ziet een jaar geen daglicht.'

'Zei ik je toch,' zei Kees, 'dat moet je persoonlijk afhandelen.'

'Nou daar ben ik wel rijp voor,' zei Truus, 'méér dan.'

'Je zegt het maar hoor moppie,' zei Kees. 'Kees hier is altijd bereid je te helpen – dat heb je toch gezien? Ik heb toch een wagentje binnen gekregen...'

'Hou op,' zei Truus, 'ik kan niet rijden.'

'Zal ik jou leren rijden op 'n avond?' vroeg Kees.

'Kan dat niet overdag?' vroeg Truus.

'Dan wordt er meer gecontroleerd,' wist Kees en Truus bleef achterdochtig zwijgen. 'Doe nou niet zo nurks,' zei Kees, 'ik weet veel te goed dat je me mag.'

'Dan weet je meer dan ik,' zei Truus, maar ja ze lachte er bij.

'Waarom liet je mij aan de deur staan,' vroeg Kees, 'ik had toch even binnen kunnen komen, hè?'

'Ik laat geen vreemden binnen 's avonds,' zei Truus.

'Ben ik een vreemde voor jou moppie?' vroeg Kees. Truus lachte verlegen.

'Nou ja.'

'Wat nou,' vroeg Kees. 'Wist je eigenlijk wat ik kwam doen?'

Truus bloosde.

'Oh nee,' zei Kees, 'dat kwam niet in me op. Wist je wat ik kwam doen?'

'Nee.'

'Nou dan.'

'Wat kwam jij dan doen?' vroeg Truus.

'Ik kwam vragen of ik je helpen kon.'

'Waarmee dan wel?'

'Poen,' zei Kees eenvoudig en nu was Truus aan de beurt om een beetje in te binden. 'Maar ja dat had je zeker niet nodig,' zei Kees.

'Hoe raad je het zo schat,' zei Truus, het kwam toch nog ietsje te hard over en dat speet haar.

'Oh,' zei Kees, 'daar heb je zat van, nou dan heb ik mijn eigen zeker een beetje vergist, dat kàn.' En hij bestelde een pilsje.

'Jij betaalt zeker voor je eigen vanavond?' zei Kees.

Maar Truus kreeg nog een kans.

'Je moet je eigen niet zo trots opstellen daar knapt een man op af.'

'Je moest 'ns weten waar ik op afknap,' zei Truus. 'Dat joekel beneden mij dat heb ik 'ns goed te pakken genomen, achterbaks schorem.'

'Volgens mij,' zei Kees, 'wist die vriendin van jou het ook al langer.'

'Tiny,' zei Truus, 'néé, nee die wist daar niks van, jij moet niet liggen te stoken Kees, wij zijn al jaren vriendin.'

'Dan heb ik niks gezegd.'

'Precies,' zei Truus.

Ze zwegen, het wilde niet erg vanavond.

'Als Tiny straks komt dan zeg je er niks van hoor,' zei Truus.

'Mij zul je niet horen,' beloofde Kees, 'nog een bessen?'

'Als het kan,' zei Truus.

'Bij mij kan àlles.'

'Truus,' fluisterde hij toen, 'ik heb wat voor je meegebracht.'

'Laat 's kijken,' zei Truus.

' 't Ligt in de wagen,' zei Kees, 'kom even mee dan halen
we het op.'

Truus keek 'ns om zich heen.

'Wat moeten die mensen wel denken,' fluisterde ze.

'Kom op,' zei Kees. En Truus keek nog eens om zich heen
en probeerde toen onzichtbaar van haar kruk af te schui-
felen en hoe meer Truus probeerde niet te laten merken dat
ze er was hoe beter de kroeg begon op te letten.

'Komt er nog wat van,' zei Kees en hield z'n autosleutels
omhoog als een rammelaar voor een baby. Met neergeslagen
ogen volgde Truus.

'Wat een wagen,' zei Truus, 'is die van jou?'

Kees sloeg er geen acht op, stapte zelf in en deed daarna
het portier voor haar open.

'Ga even zitten,' zei Kees en knipte het licht aan.

'Herejezus,' zei Truus vol bewondering, 'wat een wagen,
èn gezellig,' zei Truus en wees op het Chinese lampje en de
franje langs het raam. 'Godkolere, wat heb je dáár hangen.'

'Aardigheidje,' zei Kees een beetje beschaamd.

'Jezus Christus wat een klein bustehoudertje is dat, is dat
van de Barbie?'

'Wat bedoel je?' vroeg Kees.

'Van de Barbiepop,' zei Truus.

' 'k Weet niet,' zei Kees, 'gekregen van een collega.'

' 't Was toch niet van zijn vrouw?' vroeg Truus angstig.

'Nee,' zei Kees, 'van zijn dochter. Maak dat vakje eens
open, nee duwen, zo ja. Wat zie je?'

'Ik zie niks,' zei Truus en ze rommelde wat in het hand-
schoenenvakje.

'Puntzakje,' hielp Kees.

'Ik zie hier een doosje lampen en een zonnebril en losse

schroeven en een combinatietangetje.'

'Puntzakje,' riep Kees ongeduldig.

'Nee,' hield Truus vol, 'al sla je me dood ik zie geen puntzakje.'

Met een zucht boog Kees voor haar langs.

'En wat is dàt dan?'

'Puntzakje,' zei Truus gehoorzaam.

'Uitpakken kan je wèl zelf?' vroeg Kees.

'God nog an toe,' zei Truus, 'wat is dàt? Oh nee, daar word ik helemaal verlegen onder.'

'Volop Karaats,' zei Kees trots.

'Goud,' zei Truus, 'is die van goud?'

'Massief. Moet je voelen.'

'Nee maar, zei Truus, 'en nou deed ik nog wel zo rottig tegen je.'

Kees zweeg.

'Zal ik 'm eens eventjes om doen?'

'Moet je mij niet bedanken dan,' vroeg Kees, 'voor je ermee uitstapt?'

'Oh ja,' vond Truus, 'hartstikke bedankt,' en Kees omvatte Truus' kin en stuurde haar gezicht de goede richting op. En Truus dacht nog een ogenblik aan die ene haar op haar kin maar toen was ze die ook vergeten.

'Niet hier,' fluisterde Truus, 'niet hier Keessie.'

'Vanavond bij je thuis dan,' fluisterde Kees, 'vind je dat lekkerder moppie?'

'Ja,' zei Truus en toen liet Kees haar meteen los en dat viel Truus een beetje tegen maar enfin.

'Stap maar uit,' zei Kees, 'hands off is hands off voor mij, zo ben ik.'

Het was moeilijk binnenkomen.

'Even wezen winkelen Truus?' vroeg de dame achter de tap terwijl Truus probeerde haar armband dicht te maken.

212

Kees deed of hij van niets wist en bestelde een pilsje.

'Goeieavond,' zei Sanders en Tiny ging wat stilletjes naast Truus zitten.

'Ik zeg goeieavond,' zei Sanders en keek eens rond.

'Ook goeiedag,' mompelde Truus die nog steeds niet goed met het slot van haar gouden keten uit de voeten kon.

'Meid wat heb jíj nou,' riep Tiny, 'als je me nou belazert.'

En Truus wees met haar hoofd naar Kees.

'Van die gek daar,' zei Truus met een dankbare glimlach.

Kees bestelde nog een pilsje.

'Zó,' zei Tiny vol bewondering.

'Ze kunnen ze ook van plastic maken tegenwoordig,' wist Sanders, 'daar zie je niks van.'

'Nee,' zei Truus, 'maar dat kan je wèl voelen, wàt jij Kees.'

En daar moesten ze voor en achter de tap toch zo om schateren dat Truus niet wist waar ze blijven moest. En net toen Truus dacht dat ze klaar waren begonnen ze opnieuw: 'Je hebt ze ook van plastic! Daar zie je niks van! Maar je kan het wel voelen! Proficiat Kees. Maar je kan het wèl voelen hà hà hà die Truus toch hà hà hà.'

'Zo, zijn jullie klaar,' schoot Tiny opeens te hulp, 'dan kunnen we misschien op een ander onderwerp over.'

Het werd stil.

'En wat is dat dan wel voor een onderwerp,' werd er bezijden de tap geroepen terwijl men zich de tranen uit de ogen wreef.

'Een bessen voor mij,' zei Tiny en zo kwamen de gemoederen weer een beetje tot rust.

'Truus,' fluisterde Tiny.

'Wat?' zei Truus, de armband zat eindelijk dicht. 'Mooi hè,' zei Truus.

'Wat heet,' zei Tiny, 'een kapitaal.'

'Zou het,' fluisterde Truus.

'Duizend ballen ben je zo kwijt.'

'Hoe weet jij dat?' vroeg Truus.

'Truus,' fluisterde Tiny dringend, 'ik heb opgezegd hoor bij die klootzak...'

'Natuurlijk,' zei Truus, 'dat wist ik toch dat jij op zou zeggen, ik kèn jou toch.'

'Waar woont die maleier?' vroeg Kees.

'Wat gaat jou dat aan,' zei Tiny.

'Nou heeft Tiny geen werk meer,' zei Sanders.

'Kan ze jou mooi helpen met pieren zoeken,' wist Kees.

'Je zou niet rot doen Kees,' zei Truus.

Dat was dus het oriënterend gesprek. 'Merde merde merde,' vond Leo. Hoe had hij het in z'n hoofd kunnen halen om te denken dat de Open Universiteit hem dichter bij de Eifel zou brengen? En al rijdend sloeg hij zich met de vlakke hand op het voorhoofd. Een gewoonte die hem duur te staan was gekomen toen hij zijn leesbril nog maar net had. 'Oh Maria moeder van God,' dacht Leo wachtend voor het rode stoplicht: dit was honderd maal erger. En Leo begon zich zo onwel te voelen dat hij besloot z'n auto even aan de kant te zetten en het dak open te doen. Men was gewend de werkdag te openen met een kort stafoverleg om negen uur precies. De koffie werd gezamenlijk gebruikt om even informeel te babbelen, daarna ging men uiteen in subgroepjes voor het werkoverleg. Voor de lunchpauze had men met opzet drie kwartier gekozen opdat men er 's middags 'weer hard tegenaan' zou kunnen. Is hier een toilet, vroeg Leo zich af en keek eens naar het Amro filiaal en de winkel met moderne keukeninrichtingen.

En zo gebeurde het dat professor De Zeeuw uit zijn Volvo strompelde en tegen de dijk waaraan de werklozen uit de vorige crisis hun beste krachten besteed hadden stond over te geven.

'Heb medelijden,' zo smeekte Leo de lantarenpaal die inderdaad groot en machtig leek nu hij er oog in oog mee stond. En waarachtig, Leo begon zich veel rustiger te voelen terwijl hij nog wat wensen formuleerde. 'Help me,' smeekte Leo en keek naar boven.

'Kan ik misschien iets voor u doen?' vroeg de chef van de Amrobank die Leo al een tijdje had geobserveerd. 'Is er iets met u, zal ik een dokter bellen?'

Na enige tijd merkte Leo dat het niet zo zeer het opper-
wezen alswel de chef van de Amrobank was die hem toe-
sprak. En dat bracht Leo nogal uit z'n concentratie.

'Dank u,' zei Leo, 'het is al weer in orde.'

Maar de chef bleef vervelend staan staren zodat Leo niet
zo goed door kon met zijn verlosser.

'Even wat frisse lucht,' zei Leo om de chef een beetje af
te leiden en keek naar boven in de hoop dat de sereniteit van
de lantarenpaal hem opnieuw zou beroeren. Het viel Leo nu
opeens op dat het wolkendek waarin zijn koele vriend zich
priemde in grote vaart met zwarte flarden boven hem voort-
dreef en dit maakte weer dat Leo zich welhaast zo draaierig
ging voelen als toen hij zich nog aan de dijk bevond.

'Ik kan u echt alleen laten?' vroeg de chef die het behoorlijk koud begon te krijgen.

'Oh ja,' zei Leo.

'Ben je nu alweer terug?' vroeg Roos. 'Oh God was het zó
érg. Ga zitten!'

Leo haalde zwijgend een verfomfaaid formulier uit z'n
zak en Rosa begon te lezen.

'Zie je wel,' zei Leo, 'zie je dat.'

'Maandag,' las Roos, 'negen uur precies stafbespreking,
tien uur: pakketsamenstelling eerste jaars, elf uur: koffie,
kwart over elf: roostervergadering, één uur: gebouwen-
dienst, twee uur: overleg met publieke werken, drie uur: fi-
nancieringsoverleg, vier uur: Stichting tot beslechting van
geschillen voor de bouwbedrijven in Nederland. Kijk eens
aan,' zei Roos, 'zo zie je Hugo ook nog eens.'

'Ik wil niet,' zei Leo, 'ik ga nog liever dood, echt niet
Roos.' En Leo was nog lang niet klaar: 'En dat gebouw Roos,
dat komt er ook al niet, die bouw is stopgezet, constructie-
fouten, de aannemer is failliet.'

'Nou ja,' vond Roos, 'dat is het minste.'

En opeens schoot Leo het allerergste te binnen. Dàt waarvan hij eigenlijk zo misselijk was geworden. 'Weet je wat ze zeiden? Dat het ze zo plezierig voor mij leek dat Van Doornen en De Wit ook gesolliciteerd hadden zodat we als het ware meteen weer als team konden functioneren. Waar is Van Zutphen, waar is die doorgedraaide egghead!'

'Ga daar nou niet zó naar toe,' vond Roos, 'dat wordt niets.'

Het hielp weinig.

'Van Zutphen,' schreeuwde Leo door de telefoon, 'ik moet je onmiddellijk spreken,' en waarachtig Van Zutphen had meteen tijd voor Leo.

'Kom binnen kerel,' zei Van Zutphen.

'Wat denk jij wel?' zei Leo buiten adem. 'Wie dacht je dat je voor je had?'

'Ga zitten,' zei Van Zutphen, 'waar heb je het over?'

'Over die Sociale Academie daar,' zei Leo.

'Hoezo?' vroeg Van Zutphen verbaasd. Dat kwam natuurlijk omdat Van Zutphen óók adviseur van het Bestuur van de Sociale Academie was maar ja daar hebben we nu geen tijd voor.

'En hoe kom je erbij om rond te vertellen in mijn vakgroep dat ik weg zou gaan?'

'Ik,' zei Van Zutphen, 'nee dan moet je zelf je mond voorbij hebben gepraat hier of daar.'

'Oh nee,' zei Leo. 'En weet jij wie daar ook gesolliciteerd hebben? Van Doornen en De Wit!'

'Nou dan zullen die het daar gehoord hebben,' vond Van Zutphen, 'ze zijn heel open daar, het woord zegt het al.'

'Wie weet,' zei Leo opeens wat nuchterder, 'wie weet. Enfin 't is je wel duidelijk dat ik er van af zie.'

'Er zijn problemen kerel,' zei Van Zutphen. 'Er is een pak papier van jouw vakgroep bij ons aangekomen. Ze willen een onderzoek.'

'Dat zal dan voor het eerst wezen,' zei Leo 'dat ze een onderzoek willen. Zijn we nog in de tweede tranche gekomen?'

'Nee,' zei Van Zutphen, 'dat voorstel was niet homogeen genoeg.'

'En de vorige keer was het te eenzijdig,' zei Leo. 'Wat voor onderzoek bedoel je trouwens?' vroeg hij toen.

'Naar jou, jouw functioneren eigenlijk,' zei Van Zutphen met een lachje dat toch iets verlegens had.

'Zèg,' zei Leo, 'als die twee verdwijnen zouden... dan.'

'Dan wat?' vroeg Van Zutphen gespannen.

'Dan was het opgelost,' zei Leo vaag, 'dan blijf ik.'

Dit scheen Van Zutphen een opmerkelijke mededeling te vinden.

'Tja,' zei Van Zutphen, 'nou maak je er wel een rommeltje van kerel. Eerst vraag je bemiddeling, ik doe voor je wat ik kan. Ze wilden je daar zelfs wel hebben. Je neemt ontslag en nu wil je alles weer terugdraaien?'

'Wat zullen we nou hebben,' zei Leo, 'terugdraaien? Ik heb niets aangedraaid.'

'Kom nou toch,' zei Van Zutphen, 'je hebt je vakgroep officieel meegedeeld dat je wegging op de vergadering van... eens even kijken, die notulen zaten er ook bij,' en Van Zutphen haalde een pakket papieren tevoorschijn waar Leo's mond van open viel.

'Wat is dat?'

'Dat zeg ik net,' zei Van Zutphen, 'dat heeft je vakgroep naar 't bestuur gestuurd, 'ns kijken op 12 januari heb je dat gezegd: Ik hoor hier niet.'

'Lieve God,' zei Leo, 'wat een ellende.'

'Ja,' vond ook Van Zutphen, 'dat was niet handig kerel.'

'Zal ik eens eerlijk tegen je zijn,' zei Leo.

Daar keek Van Zutphen van op.

'Ik wil niet meer.'

'Nee,' zei Van Zutphen, 'dat dacht ik ook te merken, maar

218

ik snap jou niet.'

'Wat niet?' vroeg Leo.

'Je kunt toch gewoon in de WAO?'

'Ik?' zei Leo verbijsterd, 'en ik mankeer niets?'

En daar moest Van Zutphen weer van zuchten.

'Jij bent bijvoorbeeld een beetje overspannen geraakt.'

En Van Zutphen tikte veelbetekenend op het klachtenpakket door de vakgroep zo naarstig verzameld.

'Als je me nou belazert,' zei Leo vol bewondering. 'Gaat dat zo?'

Van Zutphen knikte.

'Rosa,' riep Leo, 'Rosa lieve schat hoor eens, waar ben je, waar ben je nou?'

'Stil,' zei Roos, 'ik praat even met Ernest.'

'Ik ga in de WAO,' riep Leo, 'we gaan naar de Eifel.'

'Oh, we gaan naar de Eifel hoor ik net, Ernest,' zei Roos. 'Zeg ik vind het een goed plan van je, ik bespreek het met papa, dàg,' zei Roos en hing op.

En nòg had Leo niet de kans om de vrijheid uiteen te zetten. Want de telefoon rinkelde opnieuw.

'Is Leo daar?' vroeg Van Zutphen. 'Kerel met mij nog even,' zei Van Zutphen amicaal.

'Ja Maarten,' zei Leo, je kon wel zien dat ze echt vrienden waren geworden.

'Nog even checken,' zei Van Zutphen, 'we hebben elkaar toch goed begrepen?'

'Ja Maarten,' zei Leo, 'ik ga in de WAO.'

'Accoord,' zei Van Zutphen, 'jij meldt je dus ziek en je gaat naar je huisarts.'

'Ziek?' vroeg Leo, 'èn naar de dokter nu meteen, ga weg daar voel ik niets voor Maarten, ik wil gewoon in de WAO.'

Van Zutphen was even sprakeloos. 'Het is de Wet Arbeidsongeschiktheid Leo,' zei Van Zutphen alsof hij een kind uitlegde dat het de bedoeling was de uitwerpseltjes ìn en niet naast het toilet te deponeren.

'Ja,' zei Leo, 'ik dacht al dat zie jij vast te simpel.'

'We gaan niet naar de Eifel Roos,' zei Leo.

'Oh,' zei Roos die het telefoongesprek met open mond gevolgd had, 'en wat nu?'

'Terugdraaien,' zei Leo, 'ik moet alles terugdraaien.'

'Oh,' zei Roos. 'Mag ik ook even aandacht, want Ernest en ik hadden een plannetje.'

'We gaan even zitten,' zei Leo. 'Gezellig even zitten Roos en dan vertel ik mijn plannetje en jij het jouwe en dan ga ik alles terugdraaien.'

'Oh,' zei Roos. 'Nou om met het mijne te beginnen, we moeten wat aan die bovenbuurvrouw van Ernest doen. Dat mens krijgt niets, dat is te gek.'

'Zo,' zei Leo, 'en wat had je gedacht?'

'Ernest wil zijn etage verkopen en het geld aan haar geven.'

'Maar dat kàn toch niet lieverd,' vond Leo, 'hij heeft geen werk.'

'Ja, dat is zo,' zei Roos, 'maar stel je nou eens voor dat m'n boek...'

'Onzin, daar verdien je absoluut niets aan, nee dat is onzin Roos.'

'Nou ja, dan hangt het ervan af of Ernest werk vindt.'

'Dat vindt hij voorlopig echt niet Roos,' zei Leo, 'nee ik hoop wel dat mijn plan beter is.'

Het was koud die middag in Buitenveldert. Het is trouwens altijd koud in Buitenveldert. En Leo reed stapvoets naar zijn vakgroep. Je kon aan de manier van rijden zien dat de chauffeur van die mooie Volvo na zat te denken.

'Dag Anke,' zei Leo tegen zijn secretaresse.

'Dag professor,' zei Anke en tikte door alsof er niets aan de hand was.

'Is Van Doornen er vandaag Anke?' vroeg Leo.

'Nee professor het is zijn studiedag.'

'Goed zo kind,' zei Leo, 'en De Wit?'

'Ik dacht van wel,' zei Anke.

Dat is jammer peinsde Leo en nu keek Anke op. 'Zou je ze allemaal bij elkaar willen halen kind.'

'Ook de assistenten professor?' vroeg Anke.

'Allemaal,' zei Leo.

'Maar waar haal ik dan de studentleden van de vakgroep vandaan?' vroeg Anke.

'Nou laat die dan maar zitten,' zei Leo.

En zo begon het moeizame verzamelen weer. Niet dat men niet graag kwam, maar toen de laatsten opgetrommeld waren toen waren de eersten net weer even weg omdat het zo lang duurde en omdat de eersten er echt geen zin in hadden om voor joker op de laatsten te zitten wachten. Ze hadden tenslotte ook wel iets beters te doen.

'Beste mensen,' zei Leo nadat het in en uit gedrentel wat afgezakt was. 'Ik heb gehoord van jullie klachten, ik vind het natuurlijk niet leuk dat die achter m'n rug verstuurd zijn.'

'Klachten verstuurd?' vroeg het aardige kind van de zijgang.

'Oh jij wist het ook niet?' zei Leo, 'het zij zo.'

En daarna legde Leo uitvoerig uit dat hij niet zonder zonden was geweest. En er waren er drie die vonden dat dat wel meeviel waaronder De Zwaan van de Wetswinkel.

'Máár,' zo legde Leo uit, 'wij hebben elkaar broodnodig. Ik kan niet zonder jullie, maar jullie ook niet zonder mij. In beide gevallen worden we opgeheven en kunnen we misschien bij Van Zutphen solliciteren.' Nu dat wilde gelukkig niemand. En daarom moesten die klachten teruggehaald worden dacht Leo en daarom moesten ze eens rustig om de tafel gaan zitten en alles eens proberen uit te praten.

Dat konden ze niet besluiten als Van Doornen er niet bij was vond De Wit.

Jawel, vonden de anderen, de meerderheid plus één is aanwezig en toen gingen ze voor de zekerheid even de neuzen tellen.

En het kon niet omdat het gezichtsverlies voor de vakgroep betekenen zou zei de Wit in een laatste poging.

'Gezichtsverlies,' zei Leo, 'ten opzichte van Van Zutphen die zelf nota bene de onderzoeksvoorstellen uit Den Haag terughaalde zodat we nou niet in de eerste, zèlfs niet in de tweede maar in de derde tranche terecht gekomen zijn? Een tranche die er niet eens zal komen?'

'Beter ten halve gekeerd dan ten hele gedwaald,' vond die schat van de zijgang, 'kom op, halen die handel!'

'En wie moet dat dan doen?' vroeg De Wit. Híj niet in elk geval.

'Ik haal het wel,' zei Anke en Leo kon aan haar gezicht zien dat ze even opgelucht was als hij.

'Kom we drinken er een borrel op,' zei Leo en de hele meute schuifelde tevreden achter Leo aan naar de ijskast op Van Doornens' kamer die Leo open zwaaide met een gebaar alsof hij hen allen de toegang tot het paradijs verschafte.

Het ging opperbest, tjonge jonge vond Hugo, dat viel hem honderd procent mee. Natuurlijk wist hij wel dat Wil praktisch was maar zó handig, nee dat had hij niet gedacht. Dat gebeurt niet zo dikwijls vond Hugo dat iets in werkelijkheid veel aardiger is dan als men erover zit te denken. Wil kwam eenvoudig wat later op kantoor; even de bedden doen, even gezellig maken en Wil ging ook wat eerder weg: even boodschappen doen even de verwarming hoger zetten, zodat alles net leuk aan kant was om zes uur. En op kantoor werd het ook prettig opgevangen: Belinda deed de koffie 's morgens zodat er voor Wil ook iets was om zich op te verheugen als ze aankwam.

Oh daar ging Wiesjes deur open en daar kwam Wiesje zèlf. Ze ging uit met haar man. Gek, dacht Hugo, geen spoor van jaloezie, hoewel... hoewel, toen ze in de Sunbeam stapten, maar ja...

'Wil jij nog koffie?' vroeg Wil, ze was nèt klaar met de afwas.

'Graag,' zei Hugo en keek weer uit het raam: wat liep daar een verbazend leuk joch, tjonge jonge dacht Hugo, wat zou ik die graag leren kennen.

Het was negen uur.

Ook voor en achter de tap was het negen uur en Truus zat maar te roken en te wachten.

'Heb je nog koffie,' vroeg Truus. Nee er was geen koffie, maar als Truus zin in koffie had dan kwam er koffie.

'Wat blijft ie lang weg mop,' zei de dame achter de tap, 'en Tiny ook al, 't is helemaal zo stil vanavond.'

'Ach hij heeft z'n werk hè,' zei Truus. ' 't Is vaak avondhandel hè.'

'Ja dat zit in die branche,' vond ook de dame achter de tap die met haar rug naar Truus toe stond. 'Jullie gaan anders wel lekker hè,' vond ze.

'Wat heet,' zei Truus. 'Je kan ze toch niet missen hè.'

'Kijk 'ns aan meid hier is ie, kakelvers.'

En daar kwam Kees.

'Dag mop,' zei Kees.

'Druk gehad?' vroeg Truus geheimzinnig.

Kees knipoogde: 'Pilsje voor mij,' en hij ging vermoeid op z'n kruk zitten.

'Hallo,' riep Tiny, 'daar ben ik weer.'

'Waar is Sanders?' vroeg Truus.

'Even de wagen wegzetten.'

'Zo en hoe ging het?' vroeg Truus.

'Piko bello,' wist Kees.

'Alles volgens plan?'

'Dik voor elkaar,' zei Kees.

Ze zwegen.

'Alleen Japie kan soms hier wezen,' zei Kees en wees op z'n voorhoofd. 'Als ik hem niet had tegengehouden dan had ie het aquarium een hengst gegeven. Kan je nagaan, nee Japie is leip.'

'Ja dan waren al die visjes dood geweest,' zei Truus.

'Nee dan waren de buren aan komen zetten natuurlijk mop, daar heb ik het over, jij denkt ook al niet na. Nadenken moet je,' zei Kees, 'wáár je ook bent. De tv heb ik voor mijn eigen gehouden.'

'We hèbben toch een goede, Kees,' zei Truus, 'je zou toch niks meenemen?'

'Nee die heb ik even bewerkt mop dat kan je moeilijk uitleggen wat je dan ziet als je een fles pils tegen een tv zet.'

'Zeg, waar heb jij het over?' vroeg Tiny.

Ze zwegen.

Truus keek haar Kees eens aan. Deze haalde z'n schouders op en keek de andere kant op.

'Er was alleen een vaas,' zei Kees, 'daar had ik moeite mee, dat is toch raar hè dat ging me aan mijn hart.'

'Kees is even op bezoek geweest,' zei Truus.

Tiny keek haar vragend aan.

'En,' zei Kees, 'kinderspeelgoed raak ik niet aan dat doen wij nooit, ik heb dat Japie ook geleerd. Goochem is ie niet maar als ik zeg hands off dan bedoel ik ook hands off.'

'Waar heeft ie het over?' fluisterde Tiny.

'Kees is even op bezoek geweest,' zei Truus, 'bij die fijne meneer,' en liet Tiny vragend achter.

'En,' zei Kees maar ze moesten even wachten tot hij uitgelachen was, 'er was een koekoeksklok, weet je wel met een duif erin.'

'Nee dat is een koekoek Kees,' zei Truus, 'daar heten die klokken naar.'

'Oh ja,' zei Kees, 'afijn ik heb mijn eigen bescheurd. Ik mep dat ding door zo'n glazen kast heen en wat zegt ie, wat zegt ie...'

'Koekoek koekoek,' riep de dame achter de tap.

'Precies,' zei Kees.

'Waar was dat Kees?' vroeg Tiny.

'Bij die Kwispel van jou,' zei Truus, 'stil nou. En toen Kees en toen?'

'Nou toen zag Japie inene een soort ja wat heet een soort van nou enfin een bak zal ik maar zeggen van steen en hij houdt 'm zo vast: hele grote stenen bak.' Kees deed het even voor en veegde Truus haast van de kruk. 'Hij houdt 'm zo'n metertje boven...'

'Kwispel had geen bak,' zei Tiny.

'Ik zeg hij houdt hem zo'n metertje boven zo'n glazen tafeltje zal ik maar zeggen.'

'Kwispel had geen glazen tafeltje,' zei Tiny.

'En in ene laat ie 'm los en – ja schenk maar in – en... dat had je moeten zien Truus, ik had nooit gedacht dat een glasplaat zo splinteren kon. Afijn,' zei Kees en nam een slok.

'Kwispel had ook geen koekoeksklok Kees,' zei Tiny.

'Stil nou,' zei Truus, 'laat Kees nou even uitpraten.'

'Enfin,' zei Kees, 'zodoende,' en hij hield z'n glas tevreden omhoog en keek er eens in terwijl hij het ronddraaide. 'Een ding begrijp ik niet,' zei Kees.

'Ik ook niet,' zei Tiny.

'Hoe kan die pils nou stil blijven staan als ik het glas draai, moet je kijken.'

'Kees,' zei Tiny, 'Kwispel had ook geen kinderen.'

'Jawel,' zei Truus, 'die had ie wèl.'

'Maar die woonden er niet,' zei Tiny.

'De bordjes heb ik even op de stereo gezet,' zei Kees tevreden.

'Kwispel is verhuisd Kees,' zei Tiny, 'die is bij zijn vriendin in gaan wonen.'

'Godkolere,' zei Truus, 'Herejezus, daarom werk jij niet meer daar. Dat had niks met mijn Jan te maken. Oh,' zei Truus, 'wat ben jij een...' en toen begon Truus te huilen.

Het deed de subfaculteit bijzonder veel genoegen zo zei de decaan dat men Ernest de bul uit kon reiken met het judicium Cum Laude. Als Ernest even tekenen wilde? Wie weet wilde Ernest promoveren? De decaan zou het zeer op prijs stellen wanneer hij in dat geval contact op zou willen nemen maar helaas helaas men kon hem geen baan aanbieden. Had Ernest al iets gevonden, hij durfde het zo langzamerhand niet meer aan de jonge doctorandi te vragen.

'Nog niet,' zei Ernest.

'Het is vreselijk,' vond ook de decaan en de beide geleerden ter linker en ter rechter zijde waren het roerend met hem eens.

'Het allerbeste en van harte geluk gewenst,' zei de decaan, 'en veel plezier vanavond, groet je vader van me!'

En zo kwam Ernest – tot z'n grote spijt een tikje aangeschoten door de vele consumpties die hij die middag met zijn vrienden (vriendinnen eigenlijk) ter viering had gebruikt – Rosa's en Leo's versierde kamer binnen.

'Zo mogen wij je dan eindelijk ook feliciteren lieve schat,' zei Roos en dat mocht.

'Opa! Barbara!' riep Ernest en doorkruiste de kamer zo energiek dat hij de asbak van de lage tafel meenam.

'Ernesto!' riepen Thomas en Barbara tegelijk en 'auguri, auguri carissimo', leken ze een driepersoons standbeeld te willen formeren zoals men die wel op marktpleinen ziet ter nagedachtenis aan gestorven verzetshelden en -heldinnen.

'Papa,' zei Ernest tenslotte, hij had niet gezien hoe ongelukkig Leo al die tijd wel met z'n handen op z'n rug had staan wachten tot hij aan de beurt was.

'Het ga je goed m'n jongen,' Leo vergat van ontroering zijn jaloezie en was maar blij dat ook hij aan de omhelzing onderworpen werd die Ernest aan z'n Italiaanse opvoeding ontleende.

'Hoe gaat het, hoe gaat het? Met jullie, met jullie?'

Niemand had tijd om antwoord te geven.

'De cadeaus,' riep Roos die nog steeds zeer opgewonden door cadeaus raakte en zeker nu in deze tijd van overmatig veel varkenslapjes.

'Wie eerst?' riep Roos.

'Leo,' vond Thomas.

Haastig scheurde Ernest het pak ter grootte van een schoenendoos open: 'Een vulpen,' zei Ernest. 'Precies de goede!'

'Onder in de doos kijken onder het fluweeltje,' riep Roos angstig, 'er zit nog wat onder!' En daar zag Ernest een kindertekening die hij herkende als een van de honderden die hij tijdens zijn kleutertijd her en der geschonken had. Ditmaal was het er een uit de Ferrariperiode.

'Snap je het?' vroeg Roos. 'Ach jee, nou snapt hij 't niet, zei ze teleurgesteld.

Ernest liet ook z'n grootvader kijken maar deze scheen evenmin verheldering te kunnen bieden. Vragend keek Ernest zijn vader aan.

'Autootje,' zei Leo, 'maar cm de donder niet zó een.'

Ernest was perplex.

'Kijk even naar buiten,' riep Roos, het was net alsof ze op een schip zaten dat uit de koers was geraakt en Roos nu 'land in zicht' riep. Op een kluitje dribbelden ze naar buiten waar Ernest's fonkelende voertuig stond. Nauwelijks was de consternatie wat afgeëbt of Barbara stootte Thomas aan. 'Nou jij.'

'Met dit kaartje, enfin...' zei Thomas en overhandigde Ernest de bekende KLM enveloppe.

'Waar heen?' vroeg Ernest gespannen.

'Rome,' zei Thomas, 'enkele reis, retour moet je zelf voor zorgen.'

En Ernest besloot zijn grootvader en diens vrouw maar weer eens te omhelzen.

'Kom jongens,' zei Roos, 'we nemen nog even een borrel en dan gaan we.'

Ernest keek op z'n horloge. 'Ik ga Louise ophalen,' fluisterde Ernest.

'Goed, goed,' zei Rosa, 'je auto staat voor.'

'Madonna,' zei Ernest, 'daar had ik niet aan gedacht.' En Ernest begon ze weer allemaal te omhelzen, een beetje eentonig voor ons misschien maar het was niet anders

'Heb jij niet een stuk in je kraag vriend?' vroeg Leo en dat was zo vond zelfs Ernest.

Louise stond al klaar toen de taxi voor haar deur stopte. Ze hoefde alleen haar jas maar aan te doen.

'Dag Louise,' zei Ernest verlegen.

'Dag Ernest,' zei Louise en bukte zich om haar tasje te pakken waardoor Ernest vreemd met uitgespreide armen bleef staan. En toen keek Louise naar hem op. 'Heel veel geluk m'n schat,' fluisterde Louise in Ernest's oor.

'Ik hou van je,' zei Ernest.

En zo bleef dat een tijdje terwijl de taxichauffeur regelmatig toeterde om hen erop te attenderen dat het hem minder voor de wind ging.

'Zo dadelijk rijdt die kerel nog weg,' zo maakte Louise zich los.

'Nou en?' fluisterde Ernest.

'Kom,' zei Louise, 'ik wil eindelijk je grootvader wel eens zien.'

De tafel bij het raam was waarachtig de tafel die Ernest had uitgezocht en ze stonden alle vier tegelijk op toen ze hen zagen. En Ernest vroeg zich net af waarom zijn grootvader nu toch alweer zo enthousiast met uitgestoken armen op hem af kwam lopen toen hij merkte dat Thomas niet naar hem maar naar... Ernest wist niet wat hij zag.

'Dag Louise,' zei Thomas.

'Dag Thomas,' zei Louise en ze gaven elkaar een hand... èn een zoen. Ernest's mond viel open.

'Meisje, meisje,' zei Thomas, 'wie had dat ooit gedacht, wanneer hebben wij elkaar voor 't laatst gezien: ik ben aan het rekenen geweest... Je bent niets veranderd.'

'Zo,' zei Thomas nadat men aan elkaar voorgesteld was, 'en nu zijn wij aan de beurt.'

En Barbara maakte haar tas open en ook Louise leek iets te zoeken.

'Eerst jij,' zo wees Thomas Barbara aan. 'Lees maar voor.'

Thomas had de volgorde van de ceremonie blijkbaar stevig in de hand. En regel na regel nam Ernest's verbazing toe.

Het ging om een appartement dat onder vele voorwaarden aan Signor Ernesto ter beschikking werd gesteld: geen huisdieren, geen onderverhuur, geen politieke bijeenkomsten, geen wapens, geen onderdak verlenen aan ultra rechtse, noch ultra linkse groeperingen maar dan zou Signor Ernesto ook de vrije beschikking hebben over het appartement no. 23 aan de via Tiburtina a Roma.

'Deze hoort erbij,' zei Louise en overhandigde Ernest de keurige brief van Bruno Bottini waarin deze uiteenzette hoezeer het hem mishaagde niet Louise zelf te kunnen verwelkomen maar dat hij haar niettemin zo een warm hart toedroeg dat hij haar niet teleur zou stellen en dat Louise de jonge dottoro waarin zij blijkbaar een toekomstig groot geleerde zag (en wie was hij, Bruno Bottini om Louise's oordeel in twijfel te trekken) in maart kon sturen.

'Madonna,' schreeuwde Ernest, 'Roma! Roma! Papà, Rosa! In Rome,' riep Ernest. 'Ik ga in Rome wonen! Ik mag ein-

230

delijk naar huis!' En toen zag Ernest pas dat zijn grootvader onhandig een arm om Louise's schouder legde omdat ze huilde en dat Rosa eigenaardig met haar zakdoek zat te goochelen.

'Van geluk gesproken,' zei Leo om de stilte een beetje op te vullen. 'Wij hebben ook wat nieuws: Rosa's boek wordt uitgegeven, dus bij ons schijnt de zon, niet waar Ernesto?'